BESTSELLER

Rosa Ribas (1963) reside desde 1991 en Frankfurt, donde ha desarrollado una intensa labor investigadora en el campo de la didáctica de las lenguas. Tras doctorarse en filología hispánica en la Universidad de Barcelona, Rosa fue lectora de español en la Universidad Johann Wolfgang Goethe y profesora de estudios hispánicos aplicados en la Universidad de Heilbronn. Ha publicado *El pintor de Flandes*, *La detective miope*, la novela por entregas *Miss Fifty* y dos series de novelas policíacas: la protagonizada por la comisaria hispano-alemana Cornelia Weber-Tejedor, formada por *Entre dos aguas*, *Con anuncio*, *En caída libre* y *Si no, lo matamos*, y la escrita en colaboración con Sabine Hofmann, que inaugura *Don de lenguas* y continúa con *El gran frío* y *Azul marino*.

Biblioteca

ROSA RIBAS

La detective miope

DEBOLS!LLO

Papel certificado por el Forest Stewardship Council®

Penguin
Random House
Grupo Editorial

Advertencia: Los personajes y situaciones retratados
en esta novela son por completo ficticios. Cualquier
similitud con la realidad es pura coincidencia.

Segunda edición: octubre de 2014
Séptima reimpresión: noviembre de 2022

© 2010, Rosa Ribas
Autora representada por The Ella Sher Literary Agency
© 2014, Penguin Random House Grupo Editorial, S. A. U.
Travessera de Gràcia, 47-49. 08021 Barcelona
Diseño de la cubierta: Penguin Random House Grupo Editorial / Luciana González
Fotografía de la cubierta: © Shaun Lowe / Getty Images

Printed in Spain – Impreso en España

ISBN: 978-84-9032-974-0
Depósito legal: B-10.226-2014

Compuesto en gama, s.l.

Impreso en QP Print

P 3 2 9 7 4 E

A Montse

DRAMATIS PERSONAE

LOS DETECTIVES:

Miguel Marín es el fundador de la agencia Detectives Marín en el barrio del Poble Sec. Amante de las sentencias y de la ortografía. El único que se atrevió a contratarme.

Rodrigo Carrasco es el detective más veterano de la agencia. Hombre de confianza del jefe y superhéroe en sus ratos libres. Lleva tantos años en la agencia como la asistente y secretaria de Marín, **Sarita Picó**, una sirena varada en la montaña de Montjuïc.

Flavia Irigoyen es una joven detective argentina. Hasta que llegué yo a la agencia, su historia personal era la más triste. Por si acaso, no le estrechen la mano; se la destrozará.

Félix Caballero llamado por los otros, no por mí, el sobrinísimo, dado que es el sobrino del jefe. Esconde su belleza sobrenatural detrás de la pantalla del ordenador.

Gonzalo Caleti. Bueno, este energúmeno no trabaja en la agencia.

LOS CLIENTES:

Emili Peyró es un mayorista de tejidos en Barcelona, muy preocupado por su hijo **Jaume Peyró**, a quien investigamos porque se equivocó tres veces con la contabilidad de la empresa familiar.

Màrius Rovira es director de una sucursal bancaria en el Prat de Llobregat. ¿Qué le preocupa? Cada vez que se mira en un espejo, su origen.

Jordi Gasull es ocularista y a él le preocupa la desaparición de su cliente **Federico Sotelo,** un abogado con un solo ojo y poca vista, a quien también echa de menos su secretaria **Sandra Martínez.**

Kono Berger vende hamburguesas de día; por la noche se transforma. También le causa preocupaciones su origen, que él no se cuestiona, pero otros sí.

En cambio, a la aracnófila rumana **Alina Vlasceanu,** lo que le preocupa es que le han desaparecido varias loxoceles.

LAS PÉRDIDAS:

Víctor era mi marido. Está muerto, lo mataron.

Alicia era mi hija. Está muerta, la mataron.

LOS POLICÍAS:

Ramón Ferret era el jefe de mi marido en los Mossos d'Esquadra. Su compañero en muchas investigaciones fue **Valentín Juárez**.

LOS OTROS:

Marifló es una niña filipina. Tal vez mi única buena obra en esta historia. Juzguen ustedes.

Roque Reina es un productor de pornos y el antiguo jefe y seguramente amante de la actriz **Aurora Claramunt,** a quien pronto espero que escuchen en la radio.

Yolanda es mi vecina del primero. Una gorda hermosa pero infeliz.

1

TARJETA DE VISITA

Muchos detectives privados son ex policías. Yo no. Yo soy viuda de un policía. Y detective privada.

Trabajo para la agencia Detectives Marín, a cuyo frente se encuentra su fundador, Miguel Marín Caballero, mi jefe.

Marín me contrató de inmediato después de nuestra primera entrevista. Cuando digo de inmediato quiero decir tras hablar conmigo poco más de una hora.

Era mi segunda entrevista ese día. Por la mañana, el director de la agencia Argos me había despachado a los pocos minutos. Creo que en realidad me había invitado sólo para echarme un vistazo, tal vez para ver si se me notaba algo. No sabría decir qué; pero por lo visto lo decepcioné. Me devolvió el currículum con una mezcla de conmiseración e impaciencia.

—No se haga muchas ilusiones.

¿Por qué no? Tenía ganas de trabajar, tenía experiencia, tenía buenas referencias. Excelentes las del jefe de mi agencia anterior, que con ellas se lavaba el cargo de conciencia por no contratarme a mi regreso.

—Tu sustituto es muy bueno, Irene.

—Yo también.

—Compréndelo. Lleva más de medio año con nosotros y se ha integrado muy bien en la plantilla.

Yo llevaba más de ocho años en la agencia y me consideraba parte de la plantilla. Pero nadie vino a reclamar mi vuelta. No era nada personal, supongo. Simplemente no sabían cómo tratar conmigo.

La entrevista con Marín era, pues, la segunda de ese día. De ese día y en total. Y la última, también en total. Las otras agencias a las que había escrito no se habían molestado en responderme.

Repasó ante mí el currículum que le había enviado.

—Me parece todo excelente, señora Ricart. Justo lo que andaba buscando.

Excelente. ¿Se dan cuenta? Había dicho excelente. Era verdad, pero antes de que esa burbuja reventara, decidí pincharla yo misma:

—¿Sabe que he pasado varios meses en una clínica psiquiátrica, verdad? Siete, para ser exactos.

—Para eso he leído el currículum, señora.

Empezó a llamarme Irene cuando le devolví el contrato firmado.

—Sólo le encuentro un problema.

Lo miré.

—Un buen detective tiene que tener el don de hacerse invisible, como si fuera transparente. No dudo de que usted goce de esta capacidad, pero sus ojos me preocupan.

—¿Mis ojos?

¿Había descubierto mi considerable miopía? Era lo único que le había ocultado, pensando que nadie contrata a una detective corta de vista, cuando en realidad a quien nadie contrata es a una detective recién dada de alta de un manicomio.

Noté que el pánico ascendía clavándome las uñas en las paredes del estómago. Necesitaba el trabajo. No necesitaba trabajo, sino «ese» trabajo. Necesitaba casos, no muchos, los justos para llegar a quien asesinó a mi marido y a mi hija. Ya había perdido siete meses en la clínica y el tiempo me apremiaba con doble urgencia porque, además, mi vista empeoraba día a día. Antes de hablar con Marín, la oculista me había dicho que había perdido —o ganado, según se mire— otra dioptría. Eran ya diez. No es tan grave, dirán ustedes. No lo hubiera sido si una semana antes no hubiera encargado unas lentes de contacto desechables de nueve dioptrías.

Tras el comentario de Marín empecé a despedirme de mi última oportunidad de conseguir empleo y de los cinco casos que tenía que resolver.

—Es su mirada —dijo él entonces—. No sé si es usted consciente de ello, pero a veces sale a relucir cierto brillo extraño en sus ojos. Yo, personalmente, no tengo nada que objetar. Todo lo contrario, lo último que deseo es verme rodeado de personas aburridas. Para eso tengo a mis dos hijos. Pero esa mirada puede resultar llamativa. Tiene usted unos ojos enormes, y si mira así a la gente, es probable que reparen en usted durante los seguimientos.

—¿Quiere usted decir una mirada como la de Norman Bates en *Psicosis*?

Se quedó pensando unos segundos.

—No. Más bien como Mel Gibson en *Arma letal*. Y disculpe la falta de nivel de esta comparación.

Abrí mucho los ojos fijando las pupilas en un punto.

—¿Así?

—Así. Exacto.

—Lo controlaré —le dije.

—Perfecto. ¿Cuánto tiempo necesita para repasar y ponerse al día con el Reglamento de Seguridad Privada?

—Un día.

—La espero aquí pasado mañana, entonces.

Con estas palabras sacó un papel de un cajón de su

escritorio y lo puso sobre la superficie de la mesa que cada día Sarita Picó, su secretaria y asistente, limpiaba con abrillantador de muebles. Era el contrato. El papel se deslizó sin ruido sobre la madera reluciente. Lo giró con un suave gesto de los dedos para que yo pudiera leerlo y empezó a presentarme las condiciones de trabajo. Todo correcto, el sueldo, las primas, los gastos de gasolina y dietas. También lo hubiera hecho gratis, pero explicarlo era más complicado que aceptarlo sin más. Firmé.

—Hablaremos de un caso con el que podría empezar. Parece poca cosa al principio, pero ya lo dice la primera ley de Parkinson...

Me miró por si acaso la conocía y podía completar la frase, pero no era así, de modo que la expuso él mismo:

—El trabajo se expande de modo que llena todo el tiempo disponible para completarlo.

Le di las gracias también por la máxima, que ya en mi primer caso demostró ser cierta, y me marché con el contrato apretado contra el pecho.

No sé si Marín me fichó para su empresa porque mi currículum lo convenció o porque lo impresioné durante la entrevista o porque pensó que alguien tan desesperado como yo sería seguramente una colaboradora fiel y entregada. Quizá fueran las tres razones a la vez.

Lo importante era que por fin tenía trabajo. Era todo lo que tenía además de poco tiempo.

2

29 BANCOS

Tiempo. Tiempo. Tiempo. El tiempo todo lo cura. Con esta frase o las decenas de variaciones posibles, con o sin los abrazos de rigor, con o sin miradas apenadas antes, durante o después, se empezaron a cerrar las conversaciones. Como si todos hubieran leído en alguna parte que a partir del mes de la pérdida de Víctor y la niña llegaba el momento en que se podía, y se debía, usar esta frase. Se la escuché a mis padres, a mi hermana, a los amigos que venían a casa o me llamaban por teléfono, a los conocidos con los que me topaba por la calle; y asentí cada vez. Sobre todo por ellos, para que se sintieran mejor. El tiempo todo lo cura, Irene. Pero ¿quién les había dicho que yo quisiera curarme? ¿De dónde habían sacado la idea de que tuviera la intención de olvidar? ¿Por qué estaban todos tan convencidos de que quería olvidar?

Nada he olvidado. Puedo decir qué ha pasado exactamente desde el día en que mataron a mi marido y a mi hija. Cada día, uno a uno. Cada hora interminable colmada de vacío. ¿No lo creen? ¡Qué más da! Ni yo los puedo convencer de lo que digo ni ustedes pueden demostrar que miento cuando afirmo que el 23 de julio del año pasado, un miércoles, estaba en casa. Hacía seis semanas que había enterrado a la niña, también un miércoles, siete que había enterrado al padre. Montse y Rafa, unos amigos, pareja, estaban de visita. Nunca más los he vuelto a ver. Ocupaban un sofá frente a mí y los pobres se esforzaban por no tocarse ni rozarse para no hacerme más presente la pérdida. Como ven, gente de lo más deferente y bienintencionada.

Recuerdo que fue ella quien dijo que me tomara tiempo. En el mismo tono con que un presentador de un concurso de la tele le dice al participante indeciso que no se precipite al dar la respuesta. Tranquilo. Tómese su tiempo, dice, pero en realidad está exigiendo. Exige. ¡Venga ya! ¿A qué espera para dar de una vez esa maldita respuesta? ¿No ve que estamos todos aquí pendientes de usted? El tiempo todo lo cura. Deja de deprimirnos con tu tristeza. Aquí estamos, esperando la respuesta. ¿Cuánto te falta?

—El tiempo todo lo cura —dijo ella.

Asentí una vez más, sería la última. Después me

levanté del sofá, fui al baño, me desnudé, me corté el pelo y me afeité la cabeza. Como mi hermana había tomado la precaución de llevarse las cosas de Víctor, no había espuma de afeitar y tuve que cubrirme los jirones de pelo con dentífrico. La maquinilla, en cambio, la dejó. Por si quería hacerme las piernas, supongo. Mi hermana siempre fue la más práctica de las dos.

No sé cuánto tardé, pero supongo que ellos no querían marcharse sin más ni se atrevían a molestarme en lo que anduviera haciendo en el baño.

—El tiempo todo lo cura.

Me pasé la maquinilla por la sien derecha.

—El tiempo todo lo cura.

Sien izquierda. Diez, tal vez quince veces, vi caer el pelo oscuro sobre el lavabo y las baldosas blancas. Después salí.

Desnuda y con el cuello cabelludo oliendo a menta, regresé al salón, me acerqué a ella y le di una bofetada tremenda, el brazo venía de lejos. El golpe fue tan fuerte que cayó sobre su marido. Tuve tiempo de golpearla varias veces antes de que éste reaccionara. Ciega de rabia, sólo tenía ojos para ella y no vi venir el puño, un gancho que me alcanzó en la barbilla, me hizo volar hacia atrás, caer de espaldas sobre una mesita y darme un golpe en la sien contra el brazo del sofá.

Desperté en una cama del psiquiátrico con las muñecas atadas a las barras metálicas de la cama. Me dolía la espalda, me dolían los brazos y sobre todo sentía un intenso dolor en la mandíbula. Pedí que me permitieran contemplarme en un espejo y vi la marca azulada, casi negra, alrededor de la barbilla. «La mujer barbuda», dije. Nunca sabré si fue por ese comentario o porque llevaba el cuerpo cargado de sedantes, pero me soltaron los brazos. Toqué con precaución la zona golpeada. La piel estaba tumefacta y no parecía mía. Noté un hueco en el hueso. El anillo de matrimonio del que me había golpeado me había roto un trozo.

—Se lo pueden arreglar con una pequeña operación —dijo la enfermera que me observaba.

—No. Está bien así.

Nadie lo ve, pero yo sé que está ahí.

Al día siguiente, otra enfermera me rasuró el cráneo por completo.

—Así arreglamos el desaguisado. Ahora crecerá parejo.

De este modo empezó una porción de siete meses de mi vida. Recuerdo todos los días. Los 216 días, las 31 semanas, los 7 meses del 15 de julio al 15 de febrero de este año, el día en que salí. Curada.

No hice gran cosa en los cuatro primeros meses que pasé en la clínica. Sí, tienen ustedes razón, tampoco me habían llevado allí para que hiciera nada en concreto. Era una clínica psiquiátrica y no un internado de señoritas. Así que no hice nada. En cambio, en ese tiempo, los médicos averiguaron muchas cosas sobre mí: que no soportaba ver imágenes de familias porque me provocaban crisis, que no toleraba la televisión, ni la prensa, que no quería escuchar música de ningún tipo, que no me apetecía hacer manualidades, que no tenía la más mínima intención de pintar, amasar, recortar, coser, plantar, dibujar, tejer, trenzar o pegar cosas.

Sólo quería estar sentada en algún banco. Y nada más. Me quedaba sentada, tranquila; ni me balanceaba ni murmuraba ni me reía sola. Simplemente estaba sentada en un banco, cualquiera de los bancos del jardín o de los pasillos de la clínica, hasta que un cuidador me llevaba a mi cuarto o al comedor o al lavabo. En cada sitio hacía lo que tenía que hacer y después me sentaba en otro banco.

Ahí empezó mi camino de regreso. No. «Ahí» no es correcto. «Ahí» no dice en cuál de los bancos pasó. En cuál de los veintinueve bancos. 29. Desagradable cifra, ¿verdad? Impar y primo. Uno menos y hubiera sido 28, el día de mi cumpleaños y par. ¿Sabían que, según algunos estudios, los diez números considerados más bonitos entre 1 y 100 son: 10, 100, 36, 6, 24, 66, 16, 4, 1, 88, 21? ¿Se han fijado? No, no me refiero a que extrañamente falten el 12 y el 7. Se trata de que casi todos son pares. ¿Saben cuáles son los más feos? 37, 93, 41, 51, 39, 17, 13, 59, 29, 43, 53. Todos, absolutamente todos sufren de imparidad. El 29, pues, era un número feo, pero no se podía hacer nada. Había que aguantarse o pensar que en realidad había 9 bancos en el interior de la clínica, 3 por piso. No, en la sala de espera no había bancos, sólo sofás y sillas. No mezclemos las categorías. Repartidos por el parque que rodea la clínica había 20 bancos, así que, si a alguien también le molesta ese 29, puede hacer como yo y pensar que eran en realidad 20 y 9. Sí, ya lo sé, el 9 también es impar, pero no es primo, lo que ya es una mejora. Ya más tranquilos, podemos volver al momento en que empecé a encontrar el camino de vuelta, cuando, a pesar de todo, comencé a curarme.

Fue en uno de los bancos del parque, el banco número 8, el único que estaba vacío y a la sombra. El 16 de noviembre el sol todavía calentaba lo suficiente para sentarse en el parque. Hacía incluso un poco de calor, recuerdo. El banco número 8 era un banco que muchos evitaban porque a veces alguna de las bulímicas vomitaba en la papelera cercana. Me senté sin mirar y noté algo extraño en las nalgas. No era la sensación de madera, sino de papel. Me levanté de nuevo y me senté a unos treinta centímetros de esa superficie de papel que resultó ser una revista.

Durante el tiempo que llevaba internada no había leído nada, ni siquiera las cosas que leemos sin querer, como la botella de champú o las cajas de los medicamentos, de los que tenía una biblioteca completa en la clínica. Nada. Incluso diría que los rótulos que indicaban las direcciones y los lugares se habían convertido en iconos como el de la taza de café que señalaba el camino a la cafetería o el trapecio, el círculo y las cuatro barritas que te dicen que, a diferencia del rectángulo, el círculo y las cuatro barritas, ése es el lavabo de señoras.

De pronto, después de casi cuatro meses sin leer, sin percibir las letras o los textos, una revista que alguien había abandonado sobre el banco se dirigía a mí, reclamaba mi atención. Empecé a mirarla de reojo, manteniendo la cabeza al frente. Pero mi vista nunca fue muy buena, y desde el asesinato de Víctor y la niña había empeorado considerablemente, por eso tuve que tomarla para poder llegar más allá del titular: «¿Sabes que entre tú y cualquier persona en el mundo hay como mucho seis grados de separación?». La dejé sobre mis rodillas, pero apenas veía un poco más. Forcé los ojos. «¿Sabes que entre tú y cualquier persona en el mundo hay como mucho seis grados de separación? La teoría de los seis grados de separación llega a internet.» Un dibujo con círculos y rayitas que los unían. Borroso. La miopía todo lo difumina. Forcé esta vez la nuca, pero los contornos apenas ganaron en precisión, así que acabé cogiendo el papel y acercándolo a los ojos hasta que todo se volvió abarcable y comprensible.

Leí el artículo. La primera vez muy deprisa, con la avidez de cuatro meses sin haber leído un solo texto. La segunda más despacio, notando cómo una idea se abría paso en mi cerebro. Desbrozándolo, eliminando cualquier pensamiento superfluo con la potencia mesiánica que sólo puede desarrollar una revelación.

Todo devino claro de repente. ¡Era tan simple y a la vez tan complejo! Noté cómo la idea penetraba en la masa cerebral traspasándola como una bala, a tal velocidad que me golpeó en el fondo del cráneo con un «clock» seco al chocar con la concavidad ósea. El impacto me echó hacia atrás. Mientras el descubrimiento se expandía como un haz de luces, neurona a neurona, empecé a balancearme en el banco sin darme cuenta.

Uno de los enfermeros me vio y se acercó alarmado al lugar en el que estaba. Banco número 8 del jardín. Me quitó la revista, a la que con razón hizo responsable de mi estado. Fue una medida tardía. Mi cerebro, tras los meses de sequía, había absorbido con avidez el contenido. Y, además, lo que necesitaba saber ya lo sabía.

El enfermero me llevó ante el médico, que me preguntó repetidas veces qué me había sucedido. Estaba extrañado ante mi súbita agitación después de semanas de apatía, y oscilaba entre la preocupación y la alegría, pero no caí en la tentación de comunicarle mi descubrimiento.

Necesité tres meses para convencerlos de mi curación, aunque ésta se hubiera producido ese día en el banco número 8 del jardín.

Salí, pues, el 15 de febrero de la clínica con el alta, un fajo de recetas y el tiempo que me concediera mi creciente miopía.

Tiempo. Justo lo que no tenía, sólo los casos que Miguel Marín quisiera confiarme. Con el reglamento repasado, dos días después de nuestro primer encuentro, entré de nuevo en la oficina de Detectives Marín.

3

DETECTIVES MARÍN

La agencia Detectives Marín está ubicada en el barrio del Poble Sec, en la calle Poeta Cabanyes, una calle ni bonita ni fea, una calle de barrio. Miguel Marín es del barrio. «Un chico de barrio», como le gusta decir cuando recibe visitas o sale a tomar un café. Pero la fidelidad al barrio de su infancia se limita al ámbito laboral. En cuanto termina la jornada, cambia de montaña. Deja el Montjuïc proletario, cruza toda Barcelona y llega a su casa en el exclusivo Tibidabo.

—El Poble Sec es un barrio feo. Siempre fue feo y seguirá siéndolo, por los siglos de los siglos.

—Pero tiene su encanto —le replica mi compañero Rodrigo Carrasco en esta conversación que mantienen por lo menos una vez a la semana.

Conocí a Rodrigo Carrasco pocos minutos después de pisar la agencia en mi primer día de trabajo. Su aparición vino acompañada del ruido de una cisterna de váter. No es precisamente la banda sonora más elegante. Eran las nueve de la mañana. Sarita Picó aún no estaba allí para recibir. Su jornada empezaba a las nueve y media. Entré en la recepción de la agencia, que sin la presencia de Sarita era un mero recibidor en un piso viejo del Poble Sec. No sabía quién me había abierto la puerta. Me quité el abrigo y la bufanda, los colgué de un perchero de la época en la que todavía se llevaba sombrero y me quedé plantada en el centro del cuarto. Me llegaban rumores tanto de la izquierda, donde se encontraba el despacho de Marín, como de la derecha, donde todavía no sabía que se encontraban los despachos de los empleados. Los sonidos del lado derecho ganaron en intensidad. Los de la izquierda también, pero menos.

Después, un momento de silencio durante el cual permanecí en el recibidor esperando equidistante hasta que, de pronto, se oyó el súbito sonido de una cisterna torrencial acompañado de una tos seca, los pulmones inconfundibles de un fumador. La puerta de un lavabo se abrió a mi derecha y apareció un hombre en la treintena con cara soñolienta secándose las manos con una toalla enorme, de las que se llevan a la playa. Iba descalzo, llevaba los pantalones sin abrochar y una camiseta interior de tirantes. Tosió. Al verme, se echó la toalla sobre los hombros y se subió de un golpe seco la cremallera de los pantalones. Creo que murmuró algo, pero el ruido de diplodocus engullendo que venía de la cisterna cubrió su voz. Su segundo intento de decir algo lo cortó Marín, que había salido de su oficina alertado por ese sonido animal.

—Rodrigo, ¿has pasado otra vez la noche en el despacho?

—Hombre, Miguel...

—¿Te crees que esto es un hotel?

—Es que se me hizo tarde y no quería volver a casa.

—¿Por qué? ¿Te esperaba alguien para darte las gracias por alguna de tus heroicidades? ¿Es que no aprendes? Deja en paz a la gente. Todo el mundo tiene derecho a tener secretos.

—Parece mentira que lo digas precisamente tú, que vives de desvelarlos.

—Ahí está la diferencia, Rodrigo, que me pagan.

—¿Y eso es mejor que lo que hago yo?

—Mira, no tengo ganas de repetir esta discusión. Sólo te digo que si te metes en más líos, vas a perder la licencia de nuevo y ni yo ni nadie va a poder ayudarte esta vez. Así que deja esas bobadas de justiciero. Y quítate la toalla de los hombros, que pareces un supermán de baratillo.

—Miguel, que no estamos solos.

Señaló con la cabeza en mi dirección mientras se colgaba la toalla de un brazo.

—¿Y qué? Así la nueva compañera ya te va conociendo. Irene, te presento a Rodrigo Carrasco.

Nos dimos la mano y los dos balbuceamos algunas palabras cordiales.

Rodrigo no tuvo una entrada gloriosa, pero con el tiempo descubrí en él a un noble compañero. Compartimos el despacho, así que pronto me di cuenta de que detrás del tipo algo ordinario, que también es, se esconde una especie de moralista de férreos principios. Rodrigo odia toda doblez hasta extremos maniáticos. Normalmente sublima su odio visceral al engaño en una colección de seudónimos. Cantantes, actores, toreros, escritores... Cuando escucha un nombre por primera vez, se pregunta de inmediato si es el nombre real o el falso, el «postizo», para usar sus palabras. Lo comprueba, y si caza un seudónimo, lo anota en su lista. No se separa de un cuaderno alfabético negro en el que guarda todos sus descubrimientos. Hablar con él de películas, música o libros exige una tarea de desciframiento. A veces sólo el argumento permite averiguar que la película con Issur Danielovitch Demsky, Bernard Schwartz y Jeanette Helen Morrison de la que habla es la misma con Kirk Douglas, Tony Curtis y Janet Leigh que yo también conozco.

Todavía tendrían que pasar unos días para que averiguara a qué se refería Marín con las escapadas de justiciero de Rodrigo.

Pero esa primera mañana en Detectives Marín sólo veía a un tipo desaliñado, con una incipiente barriguita asomando sobre la cintura de los pantalones tejanos y unas entradas pronunciadas en el pelo oscuro que profetizaban una calva. En el Rodrigo de treinta y cuatro años se transparentaba el Rodrigo de cincuenta y cuatro. ¿Cómo le quedarán entonces las letras japonesas que lleva tatuadas en el antebrazo izquierdo? Siempre olvidé preguntarle qué significaban. Aún hoy sigo sin saber qué dice ese texto. Se lo preguntaré tal vez la próxima semana.

—En cuanto Rodrigo ventile el despacho, te lo enseño —dijo Marín.

Rodrigo entendió el mensaje y desapareció por la derecha. Marín se dirigió hacia la izquierda y me hizo una señal para que lo siguiera.

—Nos quedan un par de formalidades.

Me gustó que no aludiera a la escena anterior, ni para explicarla ni para quitarle importancia. Mientras firmaba algunos papeles, se escucharon pasos diferentes en el recibidor. Unos minutos más tarde, los tres pares de pies que había percibido entraron en el despacho. Eran Rodrigo, Sarita y otra mujer bastante joven, a quien le eché menos de treinta. Marín se levantó. Lo imité. Con un gesto del brazo que nos abarcaba a todos se dirigió a mí en tono solemne:

—Irene, aquí tienes a la plantilla de Detectives Marín.

—Falta el sobrinísimo —dijo la mujer joven.

—Flavia, tú siempre tan puntillosa...

Detrás de los tres puntos que quedaron suspensos en el aire se podía escuchar la frase que hubiera seguido: «... pero más te vale que no vuelvas a interrumpirme, cielo».

—Irene. —El jefe reanudó el discurso—. A Sarita, mi asistente, ya la conoces del otro día. A Rodrigo lo has conocido hace un momento, así que sólo te falta Flavia Irigoyen, la otra detective de la agencia. Mi sobrino, Félix, llegará dentro de una hora. Él se encarga de ayudarnos en los asuntos de informática.

Los tres me dieron la mano al ser presentados. Tres fuertes apretones, el de Flavia excesivamente fuerte, de trabajador portuario, de Brutus desafiando a Popeye, de qué se te ha perdido a ti aquí. Después, todos me acompañaron hasta mi escritorio, me lo mostraron con la mirada mientras Marín seguía introduciéndome en la filosofía de su agencia.

—Siempre les digo a los clientes que el escritorio es nuestro mejor instrumento de trabajo. Los detectives de las películas sólo necesitan la mesa para poner el teléfono y los pies mientras esperan que suene. Y sólo necesitan los cajones para guardar una botella de whisky y la pistola. Los detectives de verdad tenemos los cajones llenos de papeles, bolis y fotos. A los detectives de verdad nos duele la espalda como a los oficinistas, y el culo como a los taxistas, y las detectives tenéis muchas veces varices en las piernas, como las dependientas. Encima, no llevamos pistola. La botella es opcional.

Mi escritorio tenía ya sus años. Supe más tarde por Sarita que había tenido el honor de heredar la mesa de Lola Morera, la ex mujer de Marín. Mi escritorio tenía sus años, pues, y no los pudo ocultar hasta que, a los pocos días de trabajar en la agencia, el ordenador y una capa de papeles y carpetas maquillaron su superficie. Además de la planta que me regaló Sarita al día siguiente de mi entrada en la agencia y que ella misma cuida.

La recepcionista y asistente personal de Marín me gustó desde el primer momento. Tal vez porque tiene más de cuarenta años y sigue llamándose Sarita; tal vez porque a pesar de las tópicas expectativas nunca ha tenido ni tendrá una aventura con Marín. O tal vez porque aunque tengo la impresión de que adivinó pronto que no me iba a quedar mucho en la agencia, nunca dijo una palabra a nadie. Ni siquiera a mí.

Rodrigo lo intuyó más adelante, después de compartir despacho durante un tiempo. Pero eso fue otro día, así que a ustedes también se lo contaré más adelante.

En mi primera jornada en la agencia, Rodrigo se limitó a acompañarme con los otros a mi lugar de trabajo y, una vez cumplidos sus deberes de anfitrión, escuché por primera vez la conversación con Marín, que el tiempo acabó convirtiendo en una especie de *basso ostinato* del despacho.

—El Poble Sec es un barrio feo. Siempre fue feo y seguirá siéndolo por los siglos de los siglos.

—Pero tiene su encanto.

—Para nostálgicos de la Barcelona canalla. Para los que confunden la vida de barrio con la mugre.

—Tuvo sus tiempos gloriosos, cuando el Paralelo era el Broadway de Barcelona —replica Rodrigo.

—Gloria y mugre. Esos tiempos tú no los has llegado a vivir y te crees lo que te cuentan los novelistas nostálgicos. Aquí lo que había era lumpen o ganas de medrar a cualquier precio. Cualquiera de los que vivieron aquí en esa época se hubiera largado de haber podido hacerlo. Después, como pasa siempre con los tiempos difíciles, todo se idealiza. La gente se acuerda sólo de lo que quiere: de la vecina que les regalaba golosinas, pero no de su marido, que intentaba meter mano a las niñas de la escalera; del ancianito melómano que no se perdía una representación en el gallinero del Liceo, pero que se murió de frío en un cuartucho de mierda; de las entrañables tiendecitas de barrio, detrás de cuyos mostradores se juzgaba y sentenciaba a los vecinos. Nuestro pasado, Rodrigo, es la historia que hacemos de él.

—Muy bonito, Miguel. En el escritorio te he dejado también una historia. Ilustrada, además. El tipo se la pega a su mujer.

—La llamaré hoy mismo.

Dar los resultados de nuestros trabajos a los clientes suele ser tarea del jefe, quien, además, revisa y corrige personalmente todos los informes. Los informes de Detectives Marín no tienen faltas de ortografía y pasan siempre por su estricta corrección de estilo.

Miguel Marín Caballero es un hombre dotado de una sensibilidad estética sorprendente en alguien de su profesión. Sé, porque lo dijo una vez como quien no quiere la cosa, que es como se dice lo que realmente nos importa, que hubiera preferido llamarse Caballero Marín, por sonoridad, pero que aun así está satisfecho con la combinación de sus apellidos, cosa que además no puede cambiar.

Lo que sí podría cambiar, pero tampoco lo va a hacer, es el nombre de la agencia. No le había desagradado hasta que se separó de su mujer, también detective, y ésta abrió su propia empresa, Nora Charles. Investigaciones. Un golpe muy duro para él. No fue en sí el nuevo nombre, aunque algo anticuado, mucho más glamuroso que Detectives Marín. Fue, me contó Sarita, lo que éste significaba: ver cómo se desmoronaba la imagen idealizada que tenía de su vida. Marín hubiera dicho «la historia que podía contar como su vida». En los años de su matrimonio y trabajo común, Miguel Marín y Lola Morera eran la versión barcelonesa de los elegantes Nick y Nora Charles en *El hombre delgado*. Incluso el perrito que decora las tarjetas de visita de Detectives Marín es Asta, el terrier de Nick y Nora.

Nick y Nora Charles, William Powell y Myrna Loy.

No sé qué aspecto tendría ella, si se parecía o no a Myrna Loy. Pero él no se parece en nada a William Powell. Hoy en día nadie se parece a William Powell, por lo menos en Barcelona, tal vez sea diferente en Madrid. Marín sólo comparte con muchos actores de esa época un rostro que hace difícil adivinar su edad. Conserva aún una abundante cabellera de color rubio oscuro y los trajes bien cortados saben poner en su lugar las flacideces que acechan incluso a un cuerpo delgado y cuidado en la mitad de la cincuentena. En esos trajes siempre impecables, en su despacho de una elegancia intemporal, en su leve tono irónico al hablar, se nota que es todavía la mitad escindida de ese dúo imaginario en el que se inspiraron él y su mujer, que cuando empezaron no eran Miguel y Lola, sino Nick y Nora.

Y yo era Irene, la nueva. Preparada para recibir mi primer trabajo, el primer paso para averiguar quién mató a mi marido y a mi hija, quién les disparó en ese terraplén en la Carretera de las Aguas cuando volvían de la casa de los padres de Víctor. Quién lo dejó a él muerto en el suelo al lado del coche en el que Alicia, nuestra hija, quedó malherida en el asiento del copiloto. No estaba muerta. Murió una semana después en el hospital.

Sólo diez días después de abandonar la clínica, había encontrado un trabajo y podía empezar a investigar. Los detectives privados no investigan asesinatos. Yo sí. Porque soy la viuda de un policía, de un policía que fue asesinado.

4

EL PRIMERO

Mi primera reunión de trabajo empezó como tenía que ser. Sarita abrió la puerta del despacho y dijo desde el umbral:

—El jefe quiere verte.

Mi primer caso en Detectives Marín. El primer eslabón de la cadena.

Salí del despacho, pero antes de entrar en el de Marín me metí en el lavabo con la cisterna diplodocus y controlé mi mirada en el espejito. Bajar un poco los párpados, no mirar demasiado tiempo al mismo punto, parpadear con más frecuencia. Ya lo había ensayado desde la entrevista con Marín, pero un último control me daba la certeza de que los ojos no me jugarían una mala pasada.

Con la mirada a raya, me encontré frente a frente con el primer cliente.

—Señor Peyró, le presento a Irene Ricart, la compañera que se hará cargo de su caso.

Emili Peyró me dirigió una mirada desde debajo de una calva reluciente en la que consiguió mezclar esperanza y desilusión. Porque por fin iba a conocer a la persona que se ocuparía de su problema y porque había esperado a un hombre. Pero se recompuso rápido y me dio la mano.

Peyró era un ejemplar de una especie en vías de extinción, el mayorista catalán de tejidos. Y era, además, un modelo clásico, comerciante con negocio en la calle Trafalgar. Debía de tener bastante dinero, porque toda su ropa se esforzaba en vano en disimularlo. Pero la sencillez que mostraba era cara y el reloj que asomaba debajo del puño de la camisa cuando movía las manos al hablar lo confirmaba. Emili Peyró tendría unos cincuenta y cinco años y un hijo de veinticinco, Jaume, de quien se trataba en realidad.

—Está muy extraño últimamente y tengo miedo de que se haya metido en drogas.

A la pregunta sobre la fuente de sus sospechas respondió haciéndose reproches:

—Quizá soy demasiado exigente con él. El chico trabaja duro, pero es normal, aprender el negocio no es fácil y menos en estos tiempos con los chinos pisándonos el terreno.

El asunto estaba contado en pocas palabras: su hijo Jaume, el *hereu*, que en un futuro, así lo quiera Dios, lejano, quedaría al frente del negocio familiar Peyró Teixits, se estaba comportando de un modo preocupante en los últimos meses.

—Tres veces se ha equivocado, tres veces, señora Ricart, en las cuentas diarias. Jaume, que desde que tenía ocho años ayudaba en las cuentas del negocio y nunca, se lo juro, no por orgullo paterno, sino porque es verdad, nunca se había equivocado ni en pesetas ni en euros. Y ahora tres errores en tan poco tiempo. El primero ya fue una sorpresa, pero era como si se nos demostrara que todos tenemos que doblegarnos a las leyes de la vida, era la excepción que confirmaba la regla.

El segundo, veintitrés días más tarde, fue una señal de alarma y el tercero, sólo dieciocho días después que el segundo, fue motivo de una larga conversación entre padre e hijo, que se había saldado con una agria discusión.

—Lo amenacé con contratar a un contable —dijo Peyró al final de su historia—. Lo peor que le podía haber dicho. A veces, los padres somos terriblemente crueles.

Movió la cabeza con tristeza.

Le pregunté entonces por su hijo, por sus hábitos, sus aficiones, sus amigos. Es bien sabido que nadie desconoce mejor a una persona que sus padres, pero en este caso Emili Peyró parecía estar muy bien informado. Sólo que cuanto más me contaba sobre él, más color perdía, más gris devenía, hasta el punto de que Jaume Peyró casi acabó borrándose.

Las dos semanas que siguieron a esta conversación las dediqué a vigilar a Jaume Peyró. Las dos semanas más monótonas de mi vida.

Porque Peyró hijo resultó en la vida real tan gris como me lo había presentado su padre. Salía todos los días de su piso en la calle Aragón vestido en indefectibles tonos marrones. No castaño, ni café con leche, ni teja; marrones en el peor sentido de ese color, marroncitos sufridos y mimetizantes. Sacaba el coche del aparcamiento, un Golf blanco, que conducía ni muy deprisa ni muy despacio hasta la empresa. Lo metía en otro aparcamiento y entraba en Peyró Teixits. Salía a las diez y media a tomarse el cortadito mientras hojeaba *El Mundo Deportivo* y *La Vanguardia*. A las dos iba con otros compañeros a comer el menú en alguno de los locales de la zona. Cafetito y a la empresa. Entre las ocho y las ocho y media abandonaba la empresa, cogía el coche y regresaba a casa. De allí no salía hasta el día siguiente. Así día tras día.

Y mientras tanto yo buscaba las señales que me indicaran qué tenía que ver ese caso con el mío. Si entre cualquiera de los 6.500 millones de seres humanos que pueblan el planeta —con un aumento de 80 millones anuales, más o menos la población de Alemania— se puede establecer una relación que no tiene más de cinco intermediarios, es decir, un máximo de seis grados incluidas la persona de partida y la de llegada, también entre los casos de investigación, que no son más que productos humanos, tiene que ser igual. Y así tenía que ser con mi caso. Empezara por donde empezara, llegaría al asesino de Víctor y Alicia. Sólo tenía que estar atenta y saber seguir el hilo adecuado, lo que exigía una concentración absoluta para evitar distracciones y desvíos. Nada debía interponerse en mi camino, ni siquiera el profundo aburrimiento que me provocaba el seguimiento de Jaume Peyró, la observación de una vida en la que no pasaba nada. Tal vez, me decía, la clave se encontraba allí, en el exceso de normalidad. Nadie puede ser tan normal, eso es anormal, no es sano.

Nadie podía saberlo mejor que yo.

Después del momento de mi curación y gracias a la inusual clarividencia que ésta me proporcionó, entendí que para que los médicos aceptaran que estaba sana no tenía que mostrarlo en exceso. No sé mucho de psiquiatría o de psicología, pero soy detective desde hace años, me he pasado media vida observando a gente y sacando conclusiones, de cuyo acierto dependía, por ejemplo, que se salvara o rompiera un matrimonio, una relación laboral o una empresa, que encontráramos a una persona perdida o un objeto robado. En la clínica me encontraba bajo observación las veinticuatro horas del día. Una enfermera del turno de noche controlaba que durmiéramos durante las horas previstas para el sueño. Me despertaba cada noche el sonido del esfuerzo que hacía para no hacer ruido, una nube de vibraciones con sordina que entraba en mi cuarto cuando se abría la puerta.

Me observaban de noche y de día, aún con más interés desde la escena en el banco número 8 del parque. Por eso decidí fingir cierta anormalidad para que me dieran por curada y me dejaran salir. Un par de excentricidades les bastaron. Empecé, pues, a hacer listas: las ciudades más pobladas, los ríos más largos, los animales más veloces o más longevos, las palabras más usuales, los apellidos más comunes, los países que han ganado el campeonato del mundo de fútbol... Los apuntaba en un bloc y mi psiquiatra los miraba complacido.

—¿Qué sentido tienen para ti, Irene?

—Poner orden —le mentía cada vez.

No le iba a contar que me limpiaba el cerebro de información inútil, ¿no?

Acorde con la respuesta, desarrollé un exacerbado sentido del orden que asombró pero no asustó a mi familia y me permitió deshacerme de muchos objetos superfluos una vez regresé a mi casa.

En una lista que sólo está en mi cabeza tenía anotadas las cosas que necesitaba: una cama y dos juegos de ropa de cama, dos toallas, una mesa, dos sillas, el ordenador, un lápiz, una goma, un sacapuntas y un bolígrafo. En la cocina me hubiera bastado con el frigorífico y el microondas. No he vuelto a cocinar, compro la comida hecha y la caliento. Tampoco como mucho, la verdad. Creo que no he olvidado nada. Ésos son los objetos que usaba, pero dejé más cosas en la casa; de lo contrario, les hubiera parecido sospechoso.

En el fondo fue una suerte que no tirara más; en concreto, que no me deshiciera de los libros porque gracias a ellos resolví uno de mis cinco casos. Ya se lo contaré cuando toque.

De momento, lo único que me ocupaba era el tedioso seguimiento de Jaume Peyró.

El primer fin de semana sólo me aburrí un poco menos gracias a una compra en el supermercado y dos cafés en el Café de la Ópera.

Para los que no conocen la ciudad, decirles que el Café de la Ópera está delante del Liceo y que tiene dos características esenciales: el estilo modernista y una puerta de cristal que golpea inmisericorde el marco cada vez que se cierra.

Siguiendo a Jaume Peyró tuve ocasión de llegar a la conclusión de que la humanidad se puede clasificar en dos géneros según el modo en que abandona un local. Uno es el de los que abren la puerta, entran o salen y se olvidan de ella —y de la gente que está dentro— y la dejan caer para que percuta con fuerza haciendo temblar el aire y los cristales. Otro, los menos, en realidad muy pocos, son los que frenan la caída de la puerta con el cuerpo y ahorran ese retumbe más que molesto a sus congéneres. La hora que pasé sobresaltada por los golpes incesantes mientras Peyró hijo se tomaba plácidamente un café me hizo casi añorar sus aburridos y silenciosos días laborables. Mi oído hipersensible reaccionaba a ese estruendo como si fueran latigazos y tuve que concentrarme en otro ruido que no me resultara tan irritante. Notaba que la agresividad empezaba a apoderarse de mí, que si no lograba distraer mi atención acabaría haciendo real la imagen que se repetía en mi imaginación. Cogería por la nuca a alguno de los que pertenecían al género de los que dejan golpear, lo pondría de rodillas entre la hoja de la puerta y el marco y usaría su cráneo como tope durante el rato que tuviera que seguir vigilando a Peyró, quien en ese momento pedía su segundo cortado. Precisamente lo que me condenaba a pasar más rato sometida a esa tortura acústica me dio la solución. Empecé a tomar nota mentalmente de los pedidos de los clientes. ¿Quieren saber qué recopilé? Seguramente no, pero se lo voy a contar igual. En veinte minutos, el camarero le gritó a la barra cinco cafés solos, seis cafés con leche, dos descafeinados de sobre, tres de máquina, cinco cortados, un café con leche corto de café, un americano, un cortado con la leche natural aparte y otro con leche descremada.

Como les dije, el primer fin de semana sólo me aburrí un poco menos gracias a una compra en el supermercado y dos cafés en el Café de la Ópera. El segundo gracias a la compañía de Rodrigo.

El sábado me llamó hacia las doce del mediodía. Sonaba como si llevara por lo menos una hora pensando en hacer esa llamada. Créanme, sé cómo suena una voz cuando alguien ha tenido varias veces el teléfono en la mano y lo ha devuelto a su lugar sin atreverse a usarlo, cuando se repite y ensaya la frase para que no suene repetida o ensayada y acaba sonando repetida y ensayada. De este modo sonaba la voz de Rodrigo al preguntarme como si se le hubiera acabado de ocurrir:

—¿Sigue el pipiolo ese tan entretenido como el resto de la semana?

El poco tiempo que llevaba en Detectives Marín me había bastado para darme cuenta de que a Rodrigo tampoco lo esperaba nadie en casa. Un sábado por la mañana augura un fin de semana en su peor sentido.

—Sí, me temo que va a ser un fin de semana muy largo.

—Si quieres, voy un rato a hacerte compañía.

Acepté. Rodrigo vive en el Clot, pero a la media hora lo tenía en el centro y éramos la doble sombra de Jaume Peyró.

Hacia las dos, observábamos a Peyró hijo sacando dinero de un cajero. Mejor dicho, lo estaba observando Rodrigo porque yo sin las gafas, que me había quitado a toda prisa cuando lo vi llegar, a duras penas distinguía que nuestro objeto estaba delante de un bloque amarillo. Noté de pronto que la cara de mi compañero no se dirigía hacia ese conjunto borroso, sino hacia mí. Me volví. Él me dijo muy serio:

—No ves una mierda, ¿verdad?

Asentí antes de preguntar.

—No se lo dirás al jefe, ¿verdad? Es la única cosa que le oculto.

Rodrigo se ofendió.

—¿Por qué se lo iba a decir?

Me puse las gafas.

—Te quedan bien.

Sonrió satisfecho y empezó con renovado interés a observar a Jaume Peyró.

A las tres estábamos ante la puerta de su casa. Rodrigo me dijo que tenía que marcharse.

—Tengo un asuntillo.

—¿No me vas a contar qué es?

Dudó.

—¿Tiene que ver con que a veces te quedas a dormir en la oficina?

—Ya le dije a Miguel que me parecías un buen fichaje. Eres muy lista.

—Gracias. Pero no me vas a decir a dónde vas, ¿no?

—Prefiero no decírtelo. No porque te lo quiera ocultar, es que formulado con palabras es más bien ridículo.

—¿Y visto?

—Tal vez sea diferente. No lo sé. Bueno, me voy.

Cerró la puerta del coche y se marchó.

«No te vuelvas», le decía yo mirándole la espalda. No lo hizo, y por eso en cuanto dobló la esquina con la calle Calabria, salí del coche y abandoné a Peyró hijo en los brazos del aburrimiento.

Tenía bien anotados en mi cuaderno todos sus movimientos, por la noche los analizaría en casa junto con las fotos que guardaba la memoria de mi cámara. En algún lugar se ocultaba la clave, pero contemplar dos horas más su puerta no me la revelaría.

Empecé a seguir a Rodrigo.

Caminaba a buen paso, lo que me obligaba a moverme sin precauciones, pero había mucha gente por la calle y me quise imaginar que un experto en seguimientos como él sabía qué calles me lo ponían más fácil. No aprovechó ningún semáforo para volverse, ni lo hizo cuando unas obras en la calle Rosselló lo obligaron a dar un rodeo.

El único percance lo resolví de modo expeditivo. Parada en un semáforo, un olor intenso me nubló la vista. Venía de mi izquierda, de la mujer que esperaba la luz verde con los pies balanceándose en el canto del bordillo de la acera. La rodeaba una nube densa de perfume. Barato, habrá añadido alguno de ustedes. Da lo mismo, les digo yo. Tanto si lo había comprado por siete euros en el mercadillo de su barrio como si le había costado doscientos en una perfumería de Pedralbes, me agredió y sobreexcitó tanto mi membrana pituitaria que no pude evitarlo. Aprovechando la estrechez del paso de peatones, la dejé pasar delante de mí cuando el semáforo cambió de color y le di entonces una fuerte patada con el tacón en el tobillo.

—Perdón.

La dejé atrás frotándose la media ennegrecida y así aparté de mi camino esa perturbación.

Seguramente me insultó, pero no lo oí, la espalda de Rodrigo se alejaba entre los transeúntes.

Llegamos finalmente al Hospital Clínic. Entró y se

dirigió a la cafetería. Varias hileras de mesas y una barra llenaban el local.

La persona con la que estaba citado ya lo esperaba. Era una mujer de unos cuarenta años envuelta en un batín celeste por debajo del que asomaban unas piernas muy blancas. Llevaba los pies metidos en unas zapatillas también de color azul. El uniforme de los que no pueden abandonar el recinto, de los que ya no distinguen el olor de desinfectante porque los rodea las veinticuatro horas del día.

Rodrigo se sentó a la mesa después de darle la mano a la paciente. Me acerqué a la barra, pedí un café con leche y después me senté en una mesa paralela. Rodrigo me daba la espalda, casi llegué a rozarlo al sentarme, pero logró ignorarme. Había de todos modos un barullo infernal en la cafetería, como si todo el ruido prohibido en las plantas de los enfermos explotara allí sin contención. Con todo, podía captar su conversación.

—¿Está usted seguro, señor Carrasco?

—Tengo pruebas.

—¿De verdad? —La voz de la mujer se difuminó en el llanto incipiente.

—¿Por qué la apena tanto poder demostrar que todo fue una trampa que le tendió su marido?

—Por eso precisamente, porque todo fue una trampa...

Se echó a llorar sin disimulo. Es una de las pocas ventajas de la cafetería de un hospital, a nadie le extraña ningún tipo de reacción. Que alguien llore es normal y que las risas suenen algo estridentes, forzadas, también lo es.

—Me hago cargo. Tenga, un pañuelo.

El llanto se acaba en el momento en que uno se suena enérgicamente. No recuerdo quién lo dijo o lo escribió, pero es verdad. La paciente después recuperó el habla.

—No vaya a creer que no le agradezco que haga esto por mí, señor Carrasco, pero es que es muy doloroso y en mi estado cuesta más sobrellevar los golpes. Esto ha sonado muy patético, ¿no?

—A mí no me lo parece. Creo que hay cosas más penosas...

—Sí —atajó ella—. Como creer que un hombre como Marc se iba a fijar en alguien como yo, y tragarme esos cuentos como una colegiala.

—No me caiga ahora en la autoconmiseración ni se dé latigazos. Su marido es el malo de esta película. Fue él quien pagó al tipo, que por cierto, no se llama Marc sino Fulgencio.

—¿Fulgencio? ¿De verdad?

La paciente empezó a reír francamente divertida.

—No, era broma. Se llama Marc.

—Tampoco es un nombre tan bonito, en realidad.

—Pienso lo mismo. Su marido, pues, contrató a ese tal Marc para que la sedujera.

—¡Señor Carrasco! ¡Que ya no tengo quince años!

—Bueno, llámelo como a usted más le guste, lo que cuenta es que él le pagó para que iniciara una aventura con usted y así tener pruebas a su favor al presentar la solicitud de divorcio. Aquí tengo pruebas de los pagos y copias de correos electrónicos. Los obtuve por casualidad mientras la observaba a usted por encargo de su marido.

No necesitaba saber más. Ahora entendía a qué se había referido Marín al mencionar las «historias de justiciero» de Rodrigo.

Antes de que vayan a sacar ustedes conclusiones precipitadas y se hagan la ilusión de estar contemplando el nacimiento de una pareja de justicieros, voy a poner las cosas en claro. Rodrigo y yo nunca fuimos ni seremos Batman y Robin, ni Salander y Blomkvist, ni siquiera la Abeja Maya y Willi. Por una simple razón: yo no era ni soy una justiciera. Rodrigo sí, pero yo no. Olvídenlo. Ni me propuse acabar con abusos y crueldades ni lucho contra el mal en el mundo o por la verdad, como Rodrigo.

Por eso, si envié fotos a la policía en las que se veía cómo el vecino de un bloque contiguo golpeaba a su mujer, no fue por defenderla —eso debería haberlo hecho ella misma— sino porque los gritos no me dejaban dormir y me molestaban en las horas del día que dedicaba a leer biografías de actores muertos. Fue un arduo trabajo encontrar ocupaciones apropiadas para las horas del día que dedicaba al descanso necesario y no estaba dispuesta a ser molestada. Mi mente necesitaba esas actividades para seguir en condiciones de trabajar en mi caso. ¿Se han fijado en el posesivo? Era «mi» caso lo que me interesaba. Era mi objetivo y a la vez mi motor.

Sin él estaría contándoles lo que se ve desde el banco número 8 del parque de la clínica y respirando el hedor de los vómitos de las bulímicas en lugar de notar cómo el olor a desinfectante se imponía al del café en la cafetería del Hospital Clínic.

Que cerraba a las cuatro. Un par de empleadas nos lo recordaban limpiando ostentosamente las mesas que quedaban libres y levantando barricadas con las sillas. Salí de la cafetería, abandoné el hospital y regresé al coche. Aunque lo creía más bien improbable, me quedé vigilando la puerta de Peyró hasta las nueve por si se le ocurría salir ya que era sábado. No fue así.

Otra cosa me rondaba por la cabeza: el sentido de la visita de Rodrigo, su invitación sin palabras a seguirlo. Era una señal. Tal vez la primera, llegué a pensar, pero no podía ser porque no era un caso mío; por tanto, más que una señal era una indicación, una ayuda para orientarme al principio de mi búsqueda. ¿Me siguen? Rodrigo tenía una doble vida como detective. Ésa era la información relevante, no el caso de la pobre mujer doblemente engañada. Todo el mundo lleva de un modo u otro una doble vida, dirán ustedes. Lo sé. Lo importante en ese momento era recordarlo, como acaban de hacer también ustedes. Y seguir atenta, muy atenta.

El domingo por la noche, tras las dos semanas de vigilancia, me dispuse a escribir el informe sobre las dos semanas que llevaba en el asunto Peyró. Cualquier otro detective hubiera dado el caso por concluido. Yo no. Decir que Peyró llevaba una vida rutinaria no era una conclusión, por lo menos para mí. Recuerden lo que les he dicho sobre Rodrigo.

Tenía que redactar el informe, pero algo se interponía entre mí y el texto. Y no era que la escritura se me presentara tan aburrida como lo habían sido esas dos interminables semanas de seguimiento. No sabía la causa, pero los dedos se negaban a escribir. Quizá sabían algo que yo todavía ignoraba. Decidí postergarlo.

Me acerqué a la ventana y apoyé la frente contra el cristal. Estaba frío. Noté unas repentinas ganas de fumar. Inopinadas. Llevaba diez años sin hacerlo, desde que quedé embarazada de Alicia. 111 meses. Hermoso número que se perdería al mes siguiente, el 112, porque entendí a tiempo que la urgencia de un cigarrillo era ficticia, que no era el cerebro quien enviaba la señal sino los dedos, concretamente el índice y el corazón de la mano izquierda —sí, soy zurda— que reclamaban mi atención. Levanté la mano con sumo cuidado para no romper la figura que mostraban y la dejé a la altura de la vista. El meñique y el anular estaban doblados y tocaban la palma sujetos por el pulgar. El índice y el corazón se erguían firmes, ligeramente separados.

—¿Qué? —les pregunté.

Se movieron en el aire juntándose y separándose un par de veces. Estaba claro, ¿verdad? No, no era el signo de la victoria ni el de la paz ni eran unas tijeras. ¿No lo ven? ¡Dos! La clave era dos, tenía que buscar algo que era doble. La doble vida de Jaume Peyró. El número dos.

5

CON DOS BASTA

Llamé a Marín el lunes por la mañana y me dijo que no había problema, que podía seguir a Jaume Peyró una semana más si lo consideraba necesario. Peyró padre estaba dispuesto a pagar lo que fuera con tal de saber por qué su hijo se había equivocado tres veces con las cuentas.

Así que empecé a buscar el número dos en la vida de Peyró hijo.

No era el segundo cortadito que se tomaba a media mañana, ni eran los dos compañeros con los que solía almorzar ni los dos cigarrillos que se fumó a media tarde el día en que di con la solución.

Eran los dos envoltorios de pizza que entregó una motocicleta ese mismo lunes por la noche y que después encontré en la basura de Jaume Peyró por la mañana. Pero, pueden decir ustedes, ¿y si el chico tenía hambre? ¿No puede un hombre de veinticinco años zamparse dos pizzas? Cierto. Pero ¿qué hacían esos dos envoltorios de cartón con restos de queso en la misma bolsa que un paquete vacío de tampones?

Después de ese descubrimiento, mi observación se centró en el piso de Jaume Peyró y en su basura. Pude observar desde la calle que mientras él estaba en el trabajo, a veces se movían las cortinas y percibí el resplandor de una pantalla de televisión al atardecer. Encontré también unas servilletas de papel manchadas de pintalabios y una cantidad de envases de yogur, cáscaras de huevo y otros restos orgánicos que, teniendo en cuenta que él bajaba la basura cada dos días y era más bien delgado, sólo podían corresponder al consumo de dos personas. O a alguien afectado por la solitaria. Cosa que descarté aunque no lo bastante rápido para evitar recordar algo que me contaron hacía mucho tiempo sobre cómo se puede conseguir que la solitaria abandone el cuerpo de su huésped. Como la única forma de librarse de imágenes repugnantes es pasándolas a otros, se lo voy a contar a ustedes. El truco consiste en no comer durante varios días para que la solitaria también tenga hambre. Después, se coloca un vaso de leche sobre la mesa, se apoya la cabeza sobre la madera, se abre bien la boca y se espera a que el gusano, el platelminto, suba, entraña por entraña, en busca de alimento. El momento más difícil es cuando llega a la boca, hay que tener una voluntad de hierro para no cerrarla, pero creo que la perspectiva de morder el cuerpo o la cabeza del gusano puede frenar el impulso natural.

Por esa experiencia no iba a tener que pasar Jaume Peyró. Él no tenía la solitaria, sino a alguien viviendo en su casa. Así se lo comuniqué a Marín y al día siguiente teníamos a Peyró padre en la agencia.

En el despacho de Marín, el comerciante textil se frotaba las manos con nerviosismo. Antes de darle los resultados, el jefe le contó cómo había sido mi trabajo, quería dejar claro que todos los días de observación habían sido necesarios. Después me cedió la palabra para que le comunicara mis conclusiones. Mientras me escuchaba, a Emili Peyró le temblaba la comisura izquierda de los labios dibujándole alternativamente una media sonrisa o una media tristeza. Cuando le dije que lo más probable es que su hijo estuviera conviviendo con alguien, me lanzó:

—¿Hombre o mujer?

—Mujer.

Dio entonces una palmada en el aire y se golpeó después los muslos con fuerza.

—¡Éste es mi hijo! ¡Un auténtico Peyró!

Marín, que es más viejo y, sobre todo, un hombre, entendió enseguida. Yo necesité escuchar una atropellada tirada sobre la continuidad de ciertas tradiciones.

—Todo empresario catalán que se precie ha tenido una querida a la que le ha puesto piso. En estos tiempos ya se sabe que la crisis no da para más y hay que tenerla en casa, pero la tradición sigue viva. ¿Cuánto le debo, señor Marín? ¡Gran trabajo, señora Ricart!

—¿No quiere saber quién es esa mujer? —le pregunté.

—No. Es una mujer, ¿de eso no cabe la menor duda, verdad?

—Sí.

—Pues ya está.

Cogió la factura que Marín le dio en un sobre, lo abrió, sacó la cartera y pagó allí mismo. Después se marchó.

—Bueno, pues listo —dijo el jefe antes de bajar al bar a tomarse un café y ejercer un rato de chico de barrio.

Pero no lo estaba. Emili Peyró no parecía sentir el más mínimo interés por la mujer con la que vivía su hijo. ¿Qué padre se comporta así? Había pagado en efectivo y no había querido ni un recibo. Un comerciante que abona tal cantidad de dinero y no se lleva un comprobante... Ese asunto no estaba cerrado. Para mí acababa de empezar de verdad.

6

EL CORSARIO VERDE Y EL CORSARIO ROJO

«Mira allá arriba: el Corsario Negro llora.»

Recuerdo aún los libros. Editorial Molino. Portadas oscuras, el Corsario Negro de pie en una balsa. Letras blancas, sobre una franja roja. *El Corsario Negro. La venganza.*

Después de salir de la agencia había regresado a casa para descansar un poco. Esa noche tendría vigilancia. Me eché sobre la cama. Dormí incluso, me desperté sudorosa y decidí ducharme.

Cerré la puerta del baño, como si Víctor y Alicia aún estuvieran allí. Cerré la puerta y lloré mientras me duchaba porque la puerta ya no me separaba de nadie, porque ya no la necesitaba.

Víctor y yo nunca nos mostramos todo el uno al otro. No éramos de esas parejas en las que uno se ducha mientras el otro está sentado en la taza del váter. Siempre preservamos una intimidad pudorosa. Víctor y yo no nos lo mostrábamos todo. Por desgracia tampoco nos contábamos todo y ahora tenía que empezar mi búsqueda desde cero, sin saber detrás de qué estaba cuando lo mataron. Porque una cosa estaba clara, su muerte tenía que ver con su trabajo, su muerte tenía que estar relacionada con alguno de los asuntos de drogas que investigaba su departamento. Pero ¿cuál? No tenía modo de averiguarlo. Ramón Ferret, su superior, no me lo iba a decir, de modo que ni se lo pregunté cuando me llamó pocos días después de que me soltaran.

—Suenas bien, Irene.

—Gracias. Estoy cada día mejor.

—Si necesitas algo, ya sabes que puedes contar conmigo.

—Por supuesto. Seguís sin tener nada, ¿verdad?

—Lo siento.

Me había visitado algunas veces durante mi estancia en la clínica.

Fue él también quien trajo a casa las cosas personales que Víctor tenía en el despacho que compartía con Valentín Juárez y Josep Bou. Tres cajas de cartón pequeñas que revisaba con regularidad esperando que por fin hablaran conmigo.

En sus visitas a la clínica nos había observado siempre un médico, y aun así él había conseguido pasarme información —lo tenía prohibido— sobre la investigación del asesinato de Víctor.

Yo preguntaba levantando las cejas; él respondía cerrando los ojos. Nada, los Mossos no tenían nada.

Ramón me acompañó en el entierro. En los entierros. El de Víctor y el de Alicia. Los enterré con sus tesoros. Cuando me dejaron a solas con los féretros, metí en el ataúd de Víctor una cajita de madera que la niña le había hecho en la escuela.

—Para guardar tus secretos.

Había pintado en la tapa la palabra «secretos», entre una flor algo contrahecha y curiosamente una bandera de Gran Bretaña. Guayominí.

—Tú tampoco puedes mirar dentro —me había dicho.

Con el «tampoco» mostraba su firme decisión de no curiosear en la caja. Ambas nos mantuvimos firmes. Hasta el final. Metí la caja sin haberla abierto nunca.

En el ataúd de Alicia metí los libros del Corsario Negro.

Los libros del Corsario Negro habían sido de mi padre. Él había establecido sus propios criterios sobre los regalos que les correspondían a sus dos hijas. A mí, por ejemplo, me tocaban los libros de aventuras, los tres volúmenes de Emilio Salgari. Los recibí con orgullo, con devoción. Para perpetuarlos los cubrí con un forro de plástico adhesivo que ahora, con los años, los había vuelto pegajosos. Los leí de forma apasionada nada más recibirlos. No en vano los había esperado desde que mi padre me los había mostrado y me había dicho:

—Un verano más y ya serás lo bastante mayor para leerlos.

No sabría decir cuántas veces los leí y releí aquel primer verano. Imaginando los espectros, las visiones de los cuerpos de los hermanos ahorcados por el gobernador flamenco Wan Guld, los cuerpos del Corsario Verde y el Corsario Rojo fosforescentes y horizontales flotando en el agua negra y reclamando la venganza, que era lo único que daba sentido a la vida del hermano vivo, el Corsario Negro.

Víctor siempre se reía de esos nombres, el Corsario Verde, el Corsario Rojo, el Corsario Amarillo, el Corsario Lila, decía... Pero Alicia, no. Ella esperaba con impaciencia el día en que por fin sería lo bastante mayor para leerlos.

—Un verano más —le había prometido yo.

Un verano más y mis tres libros hubieran tenido una nueva dueña.

Ya era de noche.

«Carmaux se había acercado a Wan Stiller, y señalándole el puente de órdenes, le dijo con voz triste: "Mira allá arriba: el Corsario Negro llora".»

Mira.

La figura del corsario se recortaba en la oscuridad.

Mira.

Me acerqué a la ventana.

Miré.

Mis fantasmas no salían a flotar en la oscuridad, no eran cuerpos horizontales, no eran fosforescentes.

Mira.

Veía mi reflejo en el cristal. Vestida de oscuro, mi rostro era una mancha pálida.

El Corsario Negro llora.

Salí de casa y me dirigí a la casa de Peyró. Tenía la certeza de que pronto daría con una información clave. No me preocupaba ni me asustaba lo que fuera a descubrir. Sólo temía no verlo.

7

LA CANTANTE CALVA

Me aposté frente a la casa de Jaume Peyró. Si alguien vivía con él en secreto, en algún momento tendría que salir, y si se estaba escondiendo, como parecía, tal vez saldría sólo por la noche.

Mejor. Por la noche la ciudad apesta un poco menos. Es más fácil concentrarse en lo que se hace cuando se huele menos el humo de los coches. El olor a orines que emana de tantas paredes en la ciudad se sigue percibiendo, pero no penetraba en el interior del coche desde el que vigilaba la casa.

El problema era cómo podría saber quién era la persona que vivía con él. En el bloque había veinte viviendas y no podía observar quién salía de cuál de ellas. Mi única opción era que se diera una correlación entre las luces de la casa y la salida o entrada de alguien en la casa.

Y tuve suerte. Ya en la primera vigilancia vi que hacia medianoche una mujer con la cabeza cubierta con una boina roja entraba en el bloque y que poco después se encendían luces en la casa de Peyró. Pasaron dos noches más hasta que volví a ver la boina roja. Abandonó el bloque a la una de la noche y empezó a caminar por la calle Aragón en dirección al centro. La seguí a gran distancia porque a esa hora quedaban ya pocos transeúntes. Al llegar cerca de Rambla de Catalunya, la mujer se cruzó con un grupo de adolescentes que venían gritando y dándose empujones. Uno de ellos le arrancó la boina de la cabeza y, tras un segundo de pasmo, se escucharon unas risas guturales, groseras.

En un primer momento mi atención se desvió hacia la boina que volaba por el aire pasando de mano en mano, pero no era crueldad de patio de colegio lo que había causado las risas, era la cabeza de la mujer. Calva.

Aceleré el paso. Los adolescentes estaban tan absortos en su juego y la contemplación burlona de la cabeza desnuda que no se apercibieron de mi llegada. Entré de un salto en el círculo que habían formado y atrapé la boina en el aire. Dejé el brazo levantado y la otra mano formó un puño que acerqué a la cara de uno de ellos. Conseguí que retrocediera un paso y los demás lo imitaron. Cuando el que debía de ser el cabecilla se sobrepuso a la sorpresa, intentó azuzarlos, pero ninguno se atrevió a dar un paso adelante. Clavé los ojos en el cabecilla, los mismos ojos que Marín me había recomendado disimular. Los dejé fijos en él y ladeé la cabeza como si estudiara en qué parte le iba a morder. De hecho, estudiaba en qué parte le iba a morder. Como la lactancia y la adolescencia son quizá las dos fases del desarrollo humano en las que más cerca estamos del animal que somos, el chico por instinto lo notó. No movió los pies, pero el cuerpo se echó hacia atrás, lo suficiente para reconocer la derrota. La sarta de insultos que nos dirigió fue su claudicación; los gestos obscenos y los eructos con los que el grupo se alejó de nosotras, una petición de clemencia.

—Toma.

Le devolví la boina.

—Ahora ya no la necesito. Gracias.

Estaba temblando. Me ofrecí a acompañarla un poco.

—Mejor aún —dijo—. Vamos a buscar algo abierto. Te invito a tomar algo.

Encontramos un local cerca de la plaza de Catalunya. Hicimos una señal al camarero. Mientras se nos acercaba, ella... ¿les he contado que se llamaba Aurora Claramunt? Bien, ahora sí. Sigo. Mientras se nos acercaba, Aurora Claramunt me dijo:

—Ya verás, el camarero o bien le hablará a mi cabeza, como si yo no tuviera ojos, o hará tantos esfuerzos por no mirármela que parecerá que quiere hipnotizarme.

El camarero se decidió por la opción b. En cuanto se hubo alejado lo suficiente, nos echamos a reír. Llevaba tiempo sin hacerlo. Decidí decirle que era detective privada.

—Pero ¿no me estarías siguiendo a mí?

—Me temo que sí.

—¿Te envía Roque Reina?

Pronunció este nombre con miedo.

—Esta vez la respuesta es no. ¿Quién es Roque Reina?

—¿De verdad no lo sabes? Entonces, ¿por qué me seguías?

—Para averiguar con quién vive Jaume Peyró.

—¿Te ha contratado su padre?

—Sí.

Pareció aliviada. Insistí.

—¿Quién es Roque Reina?

—Es, mejor dicho, era el productor con el que trabajaba.

—¿Eres actriz?

—Sí.

—Tu nombre no me suena.

—Tampoco te sonará el artístico: Honey Horny.

—Las mujeres no suelen ver pornos.

—Eres buena detective.

—El nombre ayudaba bastante.

Ella tomaba un anticuado pipermín con hielo, yo me había pedido un agua. Me gusta tener la cabeza clara. Tomamos unos sorbos en silencio mirando el movimiento a nuestro alrededor. El local estaba bastante lleno, era el único que tenía abierto a esa hora. En algún momento, nuestras miradas coincidieron en el verde cada vez más diluido de su vaso alto.

—¿Te escondes de ese Roque Reina?

Asintió. Se tomó un momento antes de responder a mi siguiente pregunta.

—No quiere que deje el negocio y no aceptó mi decisión de no rodar más películas con él.

—¿Por qué lo quieres dejar?

—El negocio se ha vuelto muy duro con internet. Hay mucho intrusismo e incluso las estrellas tenemos que hacer bolos en antros de mala muerte, en ciudades de provincias, en *sex-shops* escondidos en sótanos. Con todos esos salidos mirándote y babeando. Ahí me di cuenta de que no me va el porno en directo y descubrí que me gusta que me miren, pero no así, quiero que me miren con admiración.

—¿Cómo te metiste en el porno?

—Hay quien empieza por gusto, como una compañera que lo hizo porque estaba harta de los polvos de diez minutos de los no profesionales, y quien empieza por necesidad, como yo. Un día en que estaba en la playa de Castelldefels, un buscatalentos se dirigió a mí. Me dijo que podría ganar bastante dinero porque una chica sin pelo como yo tenía mucho morbo.

—¿Es congénito?

—Sí. Alopecia universalis. No tengo pelo en ninguna parte.

Señaló la cabeza, las axilas, entre las piernas.

—Acepté porque estaba sin trabajo. La alopecia no te abre precisamente muchas otras puertas. Y realmente funcionó, pero ahora ya basta. Quiero empezar una nueva etapa, dedicarme a algo nuevo, más artístico.

—¿Por ejemplo?

—Quiero ser cantante.

Enrojeció al decirlo y tuve la impresión de que era una de las primeras personas a las que le confesaba sus planes.

—Y Jaume me ha dicho que va a ayudarme a ello.

«La cantante calva», pensé. Después del puñetazo que me había propinado Rafa y que me llevó al hospital, yo había sido la mujer barbuda. El encuentro con la cantante calva sólo podía ser una señal.

—No necesitaré nombre artístico, creo que Aurora Claramunt ya sirve.

—Dependerá de la música que hagas. Aurora Claramunt es un nombre de peso, suena a cosa seria.

Se quedó pensativa.

—Vaya, no se me había ocurrido. ¿Por qué no vienes a casa y me escuchas? Así me puedes decir si el nombre encaja con la música.

Marín todavía no me había dado un nuevo caso. Aunque el jefe no fuera consciente de ello, era lo natural teniendo en cuenta que el caso Peyró no estaba realmente cerrado. Las horas que tenía que estar en la agencia las dedicaba a trabajos de archivo. Con todo, en cualquier momento, Marín podría darme un segundo caso y era necesario que antes resolviera el primero; de lo contrario, podría perderme. Además, nunca el segundo antes que el primero.

Por eso quedé con Aurora Claramunt ya para el día siguiente, mientras Jaume Peyró estaba en el trabajo. Aurora Claramunt, la cantante calva, me abriría la puerta para que pudiera ver si aparte de una ex actriz porno alopécica se escondía algo más en esa casa.

8

EL OSO

El día era un jueves lluvioso. Miré el termómetro. Doce grados. Miré entonces la polaroid que correspondía al cruce de la línea horizontal con la franja de temperaturas entre diez y quince grados y la columna de lluvioso, entre lluvia de verdad y sólo cubierto. La cuadrícula cubría la pared enfrente del armario. Busqué la intersección que tocaba, me di la vuelta y saqué la ropa que aparecía en la foto. Doce grados y lluvioso: pantalones negros, jersey granate, botines negros.

Buscar las coordenadas correctas no dura ni un minuto. Vestirse no llega a los dos.

Antes hubiera necesitado mucho tiempo. Víctor siempre se reía de mí al verme delante del armario corriendo las perchas de derecha a izquierda y de izquierda a derecha, poniéndome y quitándome prendas que se amontonaban sobre la cama y tenía que recoger antes de salir. Pero no importaba, porque antes tenía tiempo.

Con la cuadrícula de polaroids calculo que he ganado un promedio de treinta minutos diarios, que multiplicados por los cinco días hábiles —de los fines de semana no quiero hablarles ahora— dan un total de dos horas y media de tiempo ganado.

Jueves. Invierno. Cubierto. Busqué los pantalones negros de la foto, el jersey granate, los zapatos anotados en el pie de la foto. Llamé a la agencia y avisé a Sarita de que no iría a la oficina esa mañana.

—Está bien. Ya se lo digo al jefe.

Es una de las ventajas del oficio. Se pregunta poco.

Camino del piso de Peyró hijo repasé mentalmente su jornada. Después de los días de seguimiento había interiorizado su horario. Mientras yo tocaba el timbre, tres pulsaciones cortas como había acordado con Aurora Claramunt, él estaría saliendo a tomarse el cortadito de media mañana; mientras yo subía al segundo piso, él estaría cogiendo el periódico y lo abriría en el mismo momento en que la cantante calva me abría la puerta y sin decirme una palabra me apremiaba para que entrara apartándome de la vista de miradas curiosas. A mi espalda escuché el sonido metálico de la hoja de una mirilla.

Noté su nerviosismo. No era por los posibles comadreos de escalera, era mi presencia, la presencia de su público. Estaba claro que era la primera vez que iba a cantar para alguien que no fuera el enamorado Jaume Peyró.

Pasamos rápido por delante de todas esas habitaciones pequeñas y oscuras que se encuentran en los pisos del Ensanche, y me condujo a un salón en el que había montado un pequeño escenario entre las piezas del tresillo de piel. Un taburete desgajado del conjunto alineado frente a una barra de bar, un micrófono marcando el lugar al que debía ir la boca, un ordenador portátil en el que los archivos de MIDI estarían ya impacientes por acompañarla.

Me acomodé enfrente en una silla y esperé a que dejara de luchar contra la vergüenza corriendo de un lado para otro, ofreciéndome algo para beber, quitándose y poniéndose varias veces una gorra. No le decía nada, sólo la miraba alentándola a empezar, pero ni la mirada ni las sonrisas que le dirigí conseguían que se sentara de una vez en el taburete.

Finalmente, me levanté y la cogí por los hombros cuando ya se disponía a mullir unos cojines sin que quedara muy clara la relación entre éstos y su actuación. La empujé con suavidad hasta el taburete y la senté haciendo una ligera presión. Se dejó hacer sin resistencia.

—¿Qué vas a cantar?

—*Alma, corazón y vida*.

Busqué el archivo en el ordenador y puse la música en marcha.

Al principio con voz trémula, después ya con algo más de firmeza, empezó a cantar.

La canción duraba unos tres minutos y durante esos tres minutos sufrí bastante. No, no era por la música, apenas percibí que la hubiera. Era que su voz era poca cosa más que un maullidito ronco. La pieza había terminado y Aurora Claramunt me miraba desde detrás del micrófono.

—¿Qué te ha parecido?

—¿De dónde eres?

—De Llosa.

—Eso está en Lérida, ¿no? ¿Tienes algo en catalán?

Me miró confusa.

—El acento peninsular no está hecho para cantar boleros. Por las zetas.

Asintió.

—Tengo *La dansa de la primavera*.

—Dale.

El catalán no consiguió que esos maullidos dejaran de sonar lastimeros. Esperé, con todo, a que terminara la canción.

—¿Sabes francés?

—Del instituto. ¿Por qué?

—Es la única opción que te veo.

—¿Por qué?

—No tienes voz.

Los ojos de Aurora Claramunt eran dos círculos enormes de decepción bajo su cabeza calva.

¿Les parece que fui muy dura? Todo lo contrario. Odio a la gente que permite que otros se engañen y se lancen a empresas de las que sólo pueden salir ridiculizados o heridos. Odio a las vendedoras que dicen que una prenda te queda de maravilla cuando en realidad te va pequeña. Odio a los padres que no dicen a sus hijos que no tienen ningún talento artístico y los dejan hacer el ridículo en un casting de la televisión. Odio al médico que no te da el diagnóstico pero se lo dice a tu familia para que ellos tampoco te lo digan. Me hubiera tenido que odiar a mí misma si no hubiera sido sincera con Aurora Claramunt, a quien tal vez ustedes pronto escucharán en la radio. Aurore Clairmont. Porque tras ese primer golpe, demostró una cualidad imprescindible para salir adelante en la nueva carrera que de todos modos emprendió: se recuperaba rápido tras los golpes.

—¿Crees que cantar en francés de verdad ayudaría?

—Por supuesto. Cantar en francés, en susurros. La mitad de las cantantes francesas no tienen voz y aun así triunfan. Para cantar en italiano deberías haber fumado y bebido más o tener sinusitis; para cantar en portugués deberías ser más depresiva. El francés es lo que más te va.

Primero se aseguró con la mirada de que mi última afirmación no iba con segundas, después empezó a evaluar mi propuesta.

—Tal vez podría incorporar algunos gemidos. De eso sé.

—No lo dudo, pero hazlo con moderación. Está algo trillado.

Asintió. Aurora Claramunt empezaba a transformarse en Aurore Clairmont.

Nos sentamos en el sofá y empezamos a escoger títulos para que los cantara en francés. Al cabo de un rato noté que se removía incómoda.

—¿Te pasa algo?

—Es que tendría que ir al lavabo.

—Pues ve.

—¿Te puedo pedir un favor?

—Sí.

—¿Podrías ir al lavabo y tirar dos o tres veces de la cisterna?

No pregunté. Lo hice. Mientras esperaba que la cisterna se llenara para vaciarla de nuevo, pasé la vista por los estantes. Una cajita de jade me llamó al momento la atención. La abrí al amparo del sonido de la cisterna que escondía mis movimientos. Contenía un polvo blanco. Lo probé. Cocaína. No me sorprendía, más bien me alegraba, porque encontrarla era una confirmación. Empezaba a sentir suelo bajo los pies en mi camino de búsqueda.

Tiré una vez más de la cisterna. Al salir del baño me encontré con Aurora esperándome delante de la puerta. Entró rápidamente en el lavabo, entornó la puerta y se sentó en la taza.

Volví al sofá.

Regresó aliviada. Vio la pregunta en mi cara.

—Es por las ratas —dijo.

—¿Qué ratas?

—Las que corretean por las tuberías de las casas viejas en Barcelona.

—¿De dónde has sacado eso?

—Lo sé. Las oigo. Sobre todo por las noches. Todo el mundo sabe que por debajo la ciudad está infestada de ratas y que a veces salen por las cisternas y se meten en las casas.

Esas ratas de las tuberías debían de ser la versión barcelonesa, menos dada a exotismos, de los caimanes albinos de la canalización de Nueva York.

—Y te miran el coño mientras meas —dijo estremeciéndose.

—Aunque así fuera, ¿qué más te da? Son ratas.

—Pero tienen ojos.

—Ojos de rata.

Me dio el tiempo justo para separar los pies y que me vomitara entre los zapatos.

Mientras iba a buscarle un vaso de agua y le preguntaba dónde tenía un mocho, pensé en la ironía que suponía que se hubiera ganado la vida enseñando su sexo sin pelo con una asepsia casi ginecológica y ahora la perturbara la mera fantasía de que se lo viera un roedor. Pero el miedo y el asco que sentía eran reales. Lloraba en silencio mientras levantaba los pies para que pudiera limpiar el suelo.

—No son ratas —le dije entonces.

El llanto se interrumpió de golpe. Me miró. Clavé el mocho en el suelo como un guerrero masai planta su lanza y me erguí.

—Es un oso.

Los ojos se le abrieron aún más, redondos como la palabra «oso».

—¿No oíste nunca hablar del oso de los caños de las casas?

Negó titubeando.

—Es el oso que se pasea por las tuberías y las mantiene limpias con su pelo. Es un oso que a veces gruñe un poco y por eso se oyen esos sonidos guturales que salen de los tubos y al que nunca se le ocurriría asomarse a mirar por las tazas de los váteres.

Eliminé del relato original que ahora destrozaba para ella que al oso le gusta asomarse por los grifos abiertos para lamerle la cara a la gente. El autor está muerto de todos modos. Hice bien, ¿verdad?

Evaluó durante unos segundos si yo estaba loca o mi historia era tan absurda como la suya pero más hermosa. ¿Cómo lo sé? Me lo imagino. Yo hubiera hecho lo mismo. Me alegró que se decidiera por la segunda opción.

—¿Polar o pardo?

—Pardo, por supuesto. ¿Qué se le ha perdido a un oso polar en Barcelona?

Se echó a reír. Escuché su risa mientras devolvía el mocho a su lugar. Aún sonaban los últimos compases cuando regresé al salón.

—¡Qué pena que Jaume no te pueda conocer! Porque eso no es posible, ¿verdad?

—No. Es mejor que no lo sepa. No creo que le alegre saber que su padre lo ha hecho seguir.

—Eso ya lo sabe.

No pude ocultar mi sorpresa. ¿Había cometido algún error durante mi seguimiento? No habíamos tenido contacto visual. No recordaba que él hubiera mostrado ningún tipo de comportamiento sospechoso, aparte de su exasperante normalidad. Aurora Claramunt me sacó de dudas.

—Bueno, saberlo no lo sabe, pero algo notó.

—¿Cómo lo notó?

—Conoce a su padre. Imaginó que después de esa discusión lo haría seguir porque ya había hecho que vigilaran una vez a un empleado de almacén por no sé qué razón. Supo que la vigilancia había empezado el día en que dejó de mirarlo a la cara al hablar con él. También supo que ésta había terminado el día en que entró canturreando en la empresa y le dio una palmadita en los hombros. Aunque siguió un par de días sin mirarlo a los ojos. Lo conoce muy bien. Jaume lleva desde los diez años engañándolo, desde que murió su madre.

Había orgullo en sus palabras.

—Un experto, entonces.

—También se lo ha puesto fácil. No cuesta mucho engañar a alguien tan dispuesto a dejarse. Pero esa doble vida pide también sus tributos. Así se metió en las drogas.

—¿Anfetas?

—Con eso empezó. Anfetas para poder estudiar, después coca para poder trabajar.

Pronunció la palabra «coca» en un tono evocador, en el tono de los buenos recuerdos, el que puede acompañar a veces palabras como «verano», «París» o «fiesta», pero no la palabra «coca».

—Ya sé que suena idiota, pero gracias a la coca nos conocimos.

—Idiota no, pero sí poco romántico.

—Pues lo fue. Lo conocí en una fiesta que dio Roque Reina, el productor, cuando se estrenó una de sus pelis. Fue en su torre de Castelldefels. Hubo un pase de la película y un par de tipos confundieron la fiesta con una orgía y creyeron que las actrices somos todas unas putas. Me siguieron a una habitación que Roque siempre tiene preparada para los que quieren una rayita y allí se me echaron encima. En una esquina estaba Jaume y los echó a patadas. Compartimos una raya y después nos sentamos en la terraza y estuvimos hablando hasta el amanecer. Hablando. ¿Te das cuenta? Sentados en una mecedora, oyendo las olas en la playa y charlando. En algún momento nos dormimos, y cuando me desperté, él ya se había marchado y me había dejado tapada con una manta.

—Tienes razón. Fue romántico.

—Nos vimos un par de veces más. Ya no en casa de Roque Reina. Cuando coincidíamos allí porque, digamos, Jaume era cliente, procurábamos disimular lo que se estaba desarrollando entre nosotros dos. Por eso me siento segura aquí. Roque no se puede imaginar que Jaume me esconda en su casa.

—¿Es peligroso?

—Relativamente. Roque es un hombre cobarde a pesar de todas las erres en el nombre. Pero tiene amigos peligrosos y conmigo pierde una importante fuente de ingresos. Aunque esté mal decirlo, tengo una gran comunidad de fans.

Salí de esa casa sabiendo dos cosas: la primera, que Aurore Clairmont tenía futuro. La segunda era un nombre, Roque Reina. Ese nombre era la primera pista. Y las drogas estaban detrás de los motivos.

Saqué el móvil del bolso. Había alguien que seguramente podría echarme una mano. Marqué el número de Valentín Juárez.

Juárez había sido compañero de Víctor, trabajaban en la misma unidad de estupefacientes de los Mossos d'Esquadra. Se conocían desde la formación, que habían hecho juntos.

—¡Irene! ¡Qué sorpresa!

La respiración entrecortada de Valentín se notaba menos cuando pronunciaba frases cortas. Era un fumador empedernido. Víctor no se cansaba de advertirle que no pasaría la siguiente revisión médica, que, para su suerte, nunca llegaba.

No me preguntó cómo estaba, sino qué hacía, lo que me facilitó mucho pedirle un favor. Ahorrarse la primera pregunta logró que su disposición a echarme una mano aún fuera más rápida.

—Lo que quieras, mujer.

Supuse que hacer algo por mí, aunque no fuera legal, le resultaba menos incómodo que tener que preguntarme por mi estado. Por supuesto que me iba a ayudar a averiguar cosas sobre el tal Roque Reina. Prometió llamarme en cuanto tuviera algo.

No me preguntó para qué quería la información. Le hubiera tenido que mentir y me hubiera dolido tener que engañar a quien en los últimos años había compartido tantas horas con mi marido. Eran una pareja curiosa, una de esas parejas imposibles que se encuentran y ya no se separan pero que ninguno de esos programas que juntan personas a partir de afinidades y compatibilidades se atrevería a proponer. Y no me refiero a rasgos superficiales como que fueran de equipos de fútbol antagónicos, ya que lo que importaba es que ambos eran futboleros apasionados. Se trataba de aspectos que iban más a la esencia. Empezaba con su aspecto. No, no como el Gordo y el Flaco, no me refiero a si uno era más alto o el otro más delgado o llevaba el pelo más largo. Era la impresión que causaban. Víctor tenía una pulcritud natural; incluso después de un día completo de trabajo, con la barba sombreándole el rostro, parecía limpio. Valentín tenía un desaliño congénito. A los dos minutos de salir de su casa, todo en él parecía sudado y arrugado.

—Y eso que plancha como un dios —se reía Víctor.

No les gustaba la misma música ni las mismas películas, no compartían opiniones políticas ni se reían de los mismos chistes. Su amistad bebía en fuentes que a mí me resultaban incomprensibles. Pero fueran las que fuesen, Valentín se mostró fiel a esa amistad. Sólo unas horas más tarde me llamó para decirme que Roque Reina tenía una larga ficha por delitos de drogas.

—¿Tuvo que ver con Víctor alguna vez? —le pregunté.

—¿Estás investigando por tu cuenta?

Durante unos segundos nos negamos mutuamente la respuesta. Él fue el primero en hablar, pero no respondió.

—Todos estamos en ello, Irene. Era nuestro compañero y nuestro amigo.

Lo dijo en un susurro, sin que se le cortara la respiración.

—Lo sé. Perdona que te haya puesto en un dilema. Para responder a tu pregunta: no estoy investigando por mi cuenta. Sólo quería saberlo.

—Víctor lo detuvo dos veces —dijo tras una larga pausa.

Tal vez me había creído, tal vez no, pero prefería no tener que pensar que le había mentido.

Lo que a mí me importaba es que me había confirmado la primera pista. Empezaban a encajar algunas piezas. Tenía a un traficante de drogas peligroso, a un hombre que escondía en su casa a una ex actriz porno, que seguramente habría sido antes amante de Roque Reina, y a un padre capaz de hacer vigilar a su hijo por una agencia de detectives pero que después no quiere llegar al fondo del asunto. Todo apuntaba a que Roque Reina tenía algo que ver con el extraño desinterés de Emili Peyró. El próximo caso tendría que explicármelo.

9

EL ÁNGEL GUARDIÁN

Antes que el nuevo caso llegó un problema. Bienintencionado, hay que decirlo, aunque me obligara a echar mano de todo mi talento para mentir. Menos mal que se me da bien.

Los buenos mentirosos son los que mezclan suficiente verdad con la mentira, de modo que no tienen que inventarlo todo y evitan cometer errores. Los mentirosos de primera clase son los que sólo desvían un poco la verdad. No cuentan historias fantásticas, no fueron los extraterrestres los que aterrizaron en su cuarto y les robaron los deberes que con tanto esmero habían hecho, señorita, fue que mi madre se puso muy, muy mala, que hasta tuvo que venir el médico. Conviertan los dolores de cabeza de su madre en dolencias misteriosas con un halo de incurables; hagan de los viajes de negocios de su padre ausencias dolorosas e inexplicables, sin recurrir a extraterrestres.

¡Qué fácil! Y qué práctico. Nunca más una riña por no llevar los deberes hechos. Cuando hacía esto, la profesora me pasaba la mano por el pelo con tristeza. «No pasa nada, Irene. Mañana me los traes.» Al día siguiente los entregaba. Me dijo uno de los psiquiatras de la clínica que en la infancia adquirimos patrones de conducta indelebles, que aprendemos cómo resolver problemas, formas de trabajar, el concepto del orden. Se le olvidó que en la infancia sobre todo aprendemos a mentir.

Mentir es fácil. Pero mentir bien es un don que con la práctica se puede elevar a la categoría de arte. La naturaleza nos ha dado esa capacidad, como la capacidad de hablar, pero desarrollarla es nuestro trabajo. Hace poco, unos científicos suizos habían llevado a cabo un gran avance en la robótica al desarrollar un robot que era capaz de interactuar con su entorno y de intercambiar informaciones. ¿Y qué?, dirán. Eso está muy visto. Esperen, déjenme terminar. El avance consiste en que con el tiempo aprenden a mentir para obtener ventajas. Mentir es, por tanto, resultado de la evolución. Para aquellos que siempre andan buscando rasgos que nos lleven más allá de la categoría de animales listos, desengáñense: también otros primates mienten.

Si les cuento esto es porque la primera semana de marzo tuve un ángel de la guarda en casa. O una vigilante. Dependía de cómo se quisiera ver. Bien pensado, quedémonos con lo de la vigilante porque ángel no necesitaba y en realidad lo único que hizo mi pobre hermana fue vigilarme. O creer que lo hacía.

No se lo dije, pero me dolía que estuviera allí. Es mi hermana menor, nos llevamos cuatro años, por eso es indiscutiblemente mi hermana pequeña y los hermanos pequeños no deberían cuidar de los mayores. Los hermanos pequeños están ahí para que los mayores nos hagamos cargo de ellos, incluso contra nuestra voluntad. Los hermanos pequeños llegan casi siempre sin que los pidamos y vienen a destronarnos y obligarnos a crecer deprisa mientras ellos se permiten apurar todos los días de la infancia. Los hermanos pequeños están para cargarnos y ponernos en evidencia, para que nos sintamos fuertes y listos, para rompernos los juguetes y pintarrajearnos los libros, para que nos caigan broncas inmerecidas y para que les ganemos al ajedrez. Pero no están para cuidarnos. Eso va contra el orden natural de las cosas.

Sin embargo, ahí tenía yo a mi hermana pequeña ocupándose de mí.

¿Que por qué tenía a mi hermana en casa?

Esa semana, concretamente el jueves, hubiera sido el cumpleaños de Alicia. Los aniversarios suelen ser malos momentos para las personas que han sufrido una pérdida, por eso mi familia había pensado que lo mejor sería enviar a mi hermana a modo de espía preventivo.

Era como vivir con un micrófono oculto. Y saberlo. Siempre lo había notado, ese momento en el que una persona a la que estábamos espiando se daba cuenta de ello. Cuando por casualidad o porque lo sospechara descubría el micrófono oculto pero seguía actuando y comportándose como si no fuera así. Buena estrategia en el fondo. Permite disipar sospechas, fingir inocencias. Incluso, si se hace bien, hacer sentir culpable al observador. ¿Cómo he podido poner en duda su integridad? ¿Cómo he llegado a sospechar de alguien tan honesto? Pero, por lo general, la gente reacciona cambiando de forma súbita su manera de hablar y de comportarse. Por eso, si alguna vez les pasa, si alguna vez descubren un micrófono en su casa, sigan mi consejo: a no ser que sean académicos, no empiecen a hablar como tales, y aunque lo sean, eructen y tírense pedos, que están en su casa.

Como les decía, normalmente siempre percibo el momento en el que alguien se da cuenta de que está siendo espiado, de modo que sabía muy bien cómo actuar para que eso no me sucediera a mí. Ante mi hermana, con la percepción agudizada como la de un sismógrafo destinado a medir cualquier perturbación por mi parte, me limité a comportarme como todos los días. No intenté fingir una alegría que no tenía, ni me mostré más triste de lo que ya estaba. Fue una semana como tantas otras, más complicada porque a la vez que me ocupaba de un nuevo caso que me confió Marín, tenía que seguir haciendo averiguaciones sobre Roque Reina.

Durante esa semana desayuné todos los días con mi hermana y después me fui a trabajar. Cuando estábamos juntas, le contaba mis casos pasados, los de antes, cuando investigar era mi profesión; así, las historias eran a veces sórdidas, a veces tristes, a veces divertidas, siempre inocuas. También le hablé de mis compañeros actuales en la agencia. Se los presenté tan exageradamente normales que temí haber ido demasiado lejos y que esto pudiera despertar sus sospechas. Como en el caso de Jaume Peyró, tanta normalidad podía ser anormal. Pero más bien fue lo contrario. Absorbió mis historias con fruición, eran lo más interesante de esos días anodinos. Mi hermana había justificado su estancia en Barcelona con un cursillo de formación. Pobre. Además de estar observándome en los pocos ratos que me vio en esos cinco días, se gastó el dinero del curso y, se le notaba, se aburrió casi todo el tiempo. Pasado el estrés inicial de saber que tenía que observarme, en cuanto se convenció de que «Está bien, parece serena, la veo muy entera», pasó horas muertas atendiendo a clases que no le interesaban lo más mínimo. Varios días incluso almorzamos juntas y después yo descansaba un poco, aunque no dormía. Durante esos ratos que ella confundió con siestas, la escuché pasando el informe de mi estado a mis padres: «Está bien, parece serena, la veo muy entera».

La vigilancia familiar me obligaba a extremar las precauciones. No debía levantar ninguna sospecha, nada tenía que llevarlos a imaginarse qué estaba haciendo en realidad. Me observaban, analizaban mis movimientos, ponderaban las reacciones, atentos como diapasones a cualquier vibración extraña en la voz que apuntara a una perturbación. Hablaban de mí a mis espaldas, se intercambiaban informaciones. ¿Y qué te dijo? ¿Cómo la viste? ¿Sabes si come? ¿Iba limpia? ¿Cómo está la casa? ¿Sonaba bien? ¿Va a trabajar? ¿Va bien peinada? Hablaban de mí a mis espaldas. Es normal, dirán ustedes, se preocupaban. Correcto. Pero su preocupación era también un obstáculo porque el esfuerzo por mostrarme como ellos consideraban que era normal exigía tiempo y energías que precisaba para mi trabajo. Las visitas me robaban la soledad que necesitaba para pensar. Tenía el tiempo libre organizado a la perfección para regenerarme.

Tomemos, por ejemplo, los fines de semana: cada día tiene dieciséis horas de vigilia y ocho de sueño; cuatro menos con el insomnio, que me empezó a perturbar más adelante. Ya se lo contaré en su debido momento. Eso significa que un fin de semana tiene treinta y dos horas de vigilia, ocho de sueño y ocho de insomnio. Seis horas, tres por día, para pasear; dos horas los sábados para leer biografías de actores muertos; dos horas el domingo para leer novelas policíacas. Dos horas más el domingo para hacer crucigramas; dos el sábado para hacer problemas de matemáticas (me he comprado todos los cuadernos de matemáticas de la secundaria y unos libritos rusos que se usan en la universidad). Con la tele mato sobre todo las noches, cinco horas de zapeo cada día. Dedico por lo menos cuatro horas del fin de semana a limpiar la casa y a preparar la ropa de la semana siguiente. Las cuatro horas que faltan se me van entre las comidas, alguna conversación telefónica —mi hermana llama los sábados, mis padres los domingos, los amigos cuando se acuerdan—, algo de higiene, quizá algún crucigrama o algún problema de matemáticas que se me atasca. Tengo hora de visita los domingos entre las cinco y las seis, y he conseguido que tanto la familia como los amigos la respeten. Los amigos en realidad han preferido dejar de visitarme.

Como ven, no había tiempo para visitas intempestivas. ¿Tan difícil es entender que hay gente que prefiere llevar una vida estructurada? Pero parecía que mi familia no acababa de fiarse y a veces llevaban a cabo esos controles más o menos anunciados.

—Está bien, parece serena, la veo muy entera —les susurraba al teléfono desde otra habitación.

No era consciente de lo bien que oímos los miopes.

Mi hermana, además, no podía tampoco oír la voz que sonaba sin cesar en mi cabeza. Era la voz de Alicia, débil, ronca al salir de la garganta resecada por el respirador.

La niña recuperó la conciencia dos veces y las dos me vio a su lado. Así tiene que ser cuando un niño abre los ojos en un hospital, lo primero que tiene que ver es a su madre o a su padre allí, atentos, sonrientes, tranquilizadores. Así me vio ella cuando abrió los ojos, atenta a su lado. Le sonreí. No sé si me vio. Tenía los ojos vidriosos. Pero escuchó mi voz. Me pareció que intentó sonreír antes de volver a perder el conocimiento. A veces creo que fue así; otras que lo he fantaseado para paliar el remordimiento que me acompañará hasta que muera al recordar cuáles fueron las últimas palabras que le dije a mi hija.

Despertó de nuevo dos días más tarde. Una tos muy débil me arrancó de un sueño superficial. Me acerqué a ella. Quería decirme algo, pero sólo salió un graznido intermitente. Entendí que me llamaba, la palabra «mamá» no necesita la garganta. Le humedecí la boca. Siempre sin dejar de sonreír, como si no supiera que sólo habían podido sacarle una de las balas del cuerpo, que otras dos estaban alojadas en ese cuerpecillo, devorándolo por dentro.

—Mamá.

—Hola, Alicia.

—Mamá. Fue un marciano.

—¿Un marciano?

Alicia asintió sin dejar de mirarme.

—¿De qué hablas, Alicia? ¿Fue quien os hizo daño?

—Sí.

—¿Lo viste? ¿Cómo era?

Respiró entrecortadamente un par de veces para llenar suficientemente los pulmones.

—Era un marciano. Pero un marciano como el de *La guerra de las galaxias*.

—No hay marcianos, Alicia.

Me miró muy seria y volvió a asentir. Una vez, dos veces, tres veces. A la tercera cerró los ojos y ya no los volvería a abrir nunca más. «No hay marcianos, Alicia», fueron las últimas palabras que escuchó de su madre.

No hay marcianos, pero hay madres estúpidas que

no pueden dejar de corregir a sus hijos y los contradicen tres veces. Eso es lo que hay, Alicia.

No puedo decirle a nadie que desde que salí de la clínica estoy buscando un marciano, un marciano como el de *La guerra de las galaxias*. No puedo ni decírmelo a mí misma. Podría pensar que estoy loca.

10

EL SEGUNDO

El nuevo caso me llevó a conocer no a un marciano, sino a Màrius Rovira, cuyo rostro me recordó en primer lugar a un axolotl, un anfibio mexicano que también tiene los ojos muy separados. A Alicia le fascinaban los anfibios, y los axolotl, rosados y con aspecto de larva perpetua, eran sus favoritos. Se quedaba pegada al acuario en el zoo y el único medio para apartarla y que fuera, como los otros niños, a ver los leones o las panteras era una advertencia extraña de Víctor.

—Ten cuidado. Un hombre que los miraba demasiado se convirtió en axolotl.

Entonces ella se apartaba lentamente del acuario. No porque tuviera miedo de convertirse en un anfibio, sino porque esperaba que su padre le explicara cómo podría hacerlo ella también.

Màrius Rovira, el hombre que iba en camino de

convertirse en un axolotl, había llamado a la agencia un par de días antes.

—Prefiere que vayas a su casa porque quiere enseñarte fotos —me dijo Marín al encomendarme el caso.

—¿De qué se trata? —le pregunté.

—Una historia familiar. No quiso dar más detalles por teléfono.

Marín tampoco me dio muchos más. Aunque él recibe los casos y lleva a cabo la primera entrevista con el cliente, apenas nos cuenta de qué han hablado. La entrevista le sirve para decidir a quién le va a confiar el trabajo. Después nos pasa una carpeta con los datos más importantes, una carpeta amarilla con el logo de la agencia. Cuando hablamos con los clientes no sabemos mucho del asunto.

—De este modo —dice— la historia no os llega filtrada por mí. Es muy importante que escuchéis la voz real y no un discurso referido. Es fundamental que escuchéis cómo os cuentan lo que quieren. No es lo mismo si alguien os dice que le falta algo o que lo ha perdido.

La agencia estaba extrañamente desierta la mañana en que recibí la carpeta amarilla con el caso de Màrius Rovira. Flavia estaba en una observación, Rodrigo todavía no había aparecido y el sobrinísimo lo haría por lo menos una hora más tarde.

—¿Dónde está Sarita?

—Salió a buscar un par de cosas a Correos.

Desde el día de mi entrevista de trabajo, no había vuelto a estar a solas con Marín sin el ruido de fondo de mis compañeros.

El jefe me pasó la dirección de Rovira. En teoría no había nada más, podía marcharme, pero Marín no acababa de despedirme, parecía que algo le impedía cortar el hilo de la conversación, me retenía sin acabar de decidirse a decirme por qué.

Hice entonces el amago de levantarme de la silla.

—Irene —interrumpió mi movimiento. Me senté de nuevo—, ¿estás a gusto entre nosotros?

—Claro. ¿Por qué lo preguntas?

—Para estar seguro. —Hizo una pausa—. Y porque quiero que sepas que estoy muy satisfecho con tu trabajo.

—Gracias, jefe.

—Con tus compañeros parece que has congeniado muy bien.

—Así es.

Que Flavia ni me hablaba y me dirigía miradas torvas no se lo conté. Ésas son las cosas que los jefes tienen que averiguar por sí mismos.

—¿Te gusta el despacho?

—Sí.

—¿No te molesta compartirlo con Rodrigo?

—No. Todo lo contrario.

—Pues bien.

—Sí.

Cerró la conversación recordándome:

—¿Recuerdas el epitafio de la tumba de Bette Davis?

—Pues no, jefe.

—«She did it the hard way.»

—Gracias.

Salí sin saber qué había querido decirme realmente y me preparé para el nuevo caso. Esta vez tenía que salir de la ciudad. El cliente vivía en el Prat y me iba a ayudar a encontrar lo que estaba buscando.

Rovira me recibió en su casa en el casco viejo de la ciudad. Dos plantas de vivienda y un jardín. La planta baja la ocupaba una tienda de ropa para bebés.

—Era el negocio familiar. Lo regentaron mis padres hasta que decidieron jubilarse, pero a mí no me iba.

Viendo el tamaño de sus dedos, se entendía. Había contemplado uno de los escaparates en el que habían dispuesto calcetines diminutos en un abanico de colores. Esos tubitos de lana hubieran parecido dedales en sus manos.

—¿A qué se dedica usted, señor Rovira?

Era director de una sucursal bancaria.

—Es muy distinto dirigir un banco en Barcelona o aquí, en el casco viejo de una ciudad pequeña. Conozco a muchos de mis clientes desde hace años, conozco sus negocios, a sus familias. Aquí nos conocemos todos. Cuando algunos de ellos han pasado apuros, les he echado una mano y ellos, salvo raras excepciones, siempre han correspondido a esta confianza.

En ese momento pensé, ustedes también lo habrán hecho, que el asunto que lo había llevado a Detectives Marín tendría que ver con alguno de esos clientes de confianza, probablemente un pariente, ya que el jefe me había mencionado que era un asunto de familia.

Nos habíamos sentado frente a frente en la mesa del comedor. No en el comedor de diario, sino en el de los festivos. La oscura mesa de roble olía a limpiador de muebles, el centro estaba cubierto por un mantelito de ganchillo sobre el que reposaba un ornamento de flores secas. No era la decoración que se espera en la casa de un hombre solo, pero tampoco la de la casa en la que viviera una mujer a mitad de la treintena, que era la edad que tenía Rovira.

—¿Sus padres viven con usted?

En realidad le quería preguntar si él vivía con sus padres, pero consideré mejor expresarlo así.

—Mi madre. Mi padre murió hace dos años.

—Lo siento.

Se encogió de hombros al aceptar mi condolencia.

—Mi madre no está en casa. Ha ido a visitar a su hermana. Lo hace dos veces a la semana. Un segundo.

Se levantó y desapareció en una habitación. Volvió con una vieja caja de metal y una pila de álbumes de fotos. Mientras abría las páginas que había dejado señaladas con hojitas de papel, me iba contando:

—Como le he dicho, mi trabajo se basa en buena parte en la confianza que los clientes tienen en mí personalmente y la que yo tenga en ellos. Esta confianza deriva del hecho de que en esta parte de la ciudad todos nos conocemos, algunos estamos incluso emparentados, otros llevan viviendo en el Prat desde su fundación, cuando era una población agrícola, antes de que llegara la gente del sur.

Sacó algunas fotos de la caja y la alineó sobre la mesa.

—La gente confía en mí, pero desde hace un tiempo quien está perdiendo la confianza soy yo.

—¿En la gente?

—No, en mí mismo. Es que ya no sé quién soy ni lo que soy. Mire.

Señaló la hilera de fotos. Lo mostraban a él, desde que era un bebé recién nacido hasta una foto que no tendría más que unos meses. Cuando se hubo cerciorado de que las había visto todas, me enseñó varias páginas de los álbumes con fotografías más antiguas.

—Son mis padres de niños. Aquí, mi padre el día de su comunión; aquí, mi madre en el colegio; aquí cuando se casaron...

La diferencia de edad entre sus padres era patente. En la foto ella tenía veinte años; él, no menos de cuarenta.

Me mostró la evolución de los rostros de sus padres con los años y al hacerlo se dibujaba una expresión de dolor en el suyo.

—¿Lo ve?

Negué con la cabeza.

Empezó a señalarme las fotos de nuevo oprimiéndolas con un índice enorme que me guiaba la mirada: Rovira el día de su bautizo, Rovira en un triciclo, Rovira en el equipo de baloncesto escolar, Rovira bebé con mamá, Rovira bebé con papá, papá sin Màrius Rovira, mamá con papá. Fui poniendo títulos a las fotos con la esperanza de que esto me ayudara a entender qué me quería mostrar. Así repasamos todas las fotos de nuevo. Al terminar, entrelazó las manos sobre la mesa y me preguntó:

—¿A quién me parezco?

—De pequeño se parecía usted muchísimo a su madre —respondí sin volver a mirar las fotos, como si estuviéramos jugando al Memory.

—¿También lo ve así?

Sonaba entusiasmado. Yo, por mi parte, creía empezar a entender de qué se trataba en su caso. Nada original, la verdad; extraño era sólo lo que le había llevado a albergar sospechas. Rovira me lo fue mostrando despacio, socráticamente, para que pudiera recorrer el mismo camino que le había llevado a las dudas.

—¿Y después?

—Después, ¿qué?

—¿A quién me parezco después?

En las fotos de juventud, hacia los veinte años, los rasgos de Rovira iniciaban una transformación imparable hacia lo que era su rostro actual. No tuve que mirar las fotos una tercera vez. Ni mamá ni papá tenían esos pómulos altos, la barbilla ancha, las cejas prominentes, los ojos separados, la boca tan amplia, aunque lo que más se le había ensanchado era la nariz.

—¿A quién me parezco? —repitió.

—A nadie.

—Así es. Al principio apenas se nota, pero cuando se observa la evolución con la perspectiva del tiempo, es innegable, ¿no?

Aun a riesgo de equivocarme y ofender profundamente a Rovira, lancé mi hipótesis:

—Que su padre no era su padre.

—No sólo eso. Mucho peor. Que mi padre era negro.

Señaló su rostro dibujando un marco con el movimiento de las manos y se quedó inmóvil como un retrato para que tuviera tiempo de contemplar la evidencia. Me recordó los rostros solemnes de las fotos antiguas, cuando los retratos dejaron de ser privilegio de los reyes y nobles pero conservaban todavía el carácter pomposo de lo suntuario y la gente posaba muy seria y digna. En el retrato imaginario, Rovira tenía algo de rey, un rey de la casa, hijo único a juzgar por las fotos. Un rey que ahora se cuestionaba su legitimidad.

—¿Sabe usted lo curioso? Creo que lo llevo sospechando desde hace tiempo, pero no me he atrevido a reconocerlo hasta hace pocos días.

—¿Hubo algo que lo llevara a dar este paso?

—Mi madre empieza a mostrar un comportamiento extraño. Desde hace un tiempo se interesa por cosas nuevas.

—Eso no es malo.

—En principio no. Depende de las cosas. En el caso de mi madre, es que se ha metido en un grupo que busca mejorar las condiciones de vida de los inmigrantes africanos en la región. No me vaya a malinterpretar. Considero muy loable hacer actos de caridad. En la iglesia tenemos colectas y ayudamos a parroquias en África, para los niños y los huérfanos y los refugiados y el sida y eso... Pero los de mi madre son los que están aquí, ¿sabe? Así no me extraña que no se quieran volver a sus países, si les buscan hasta piso y trabajo.

—De momento no veo nada anormal —corté antes de que Rovira dijera algo que me llevara a tomar su caso con repugnancia. No podía rechazarlo, hubiera roto la cadena, el hilo que había conseguido coger se me escurriría entre los dedos como la mano mojada de un náufrago.

—Es que no es sólo eso. Es que le noto una fijación con los negros. Es todo, son los discos de Nat King Cole, Ella Fitzgerald, Louis Armstrong; es cómo siguió la campaña de Obama; es que el otro día, mientras mirábamos un película en la tele, me dijo sin que viniera a cuento: «¡Mira que es guapo este Denzel Washington!».

—Será porque es guapo.

—No, no era eso. Es que después me dirigió una mirada extraña, como si hubiera estado a punto de contarme algo y se hubiera arrepentido en el último segundo.

—Y usted cree que tal vez quería decirle precisamente eso.

—Que todos esos comentarios, la música, Obama... es su manera de darme pistas. O tal vez lo haga de una forma inconsciente. Pienso que lo del grupo de ayuda a los inmigrantes no lo hace por convicción sino por mala conciencia.

—¿Nunca le ha preguntado usted nada?

—¿Cómo? ¿Cómo se le pregunta una cosa así a una madre?

—Me hago cargo. Pero ¿no prefiere esperar a que ella quizá decida contárselo?

—Me temo que no lo hará nunca.

—¿Es consciente de que mi investigación supondrá hurgar en la intimidad de su madre?

—Sólo en su pasado.

—El pasado de una persona es también parte de su intimidad.

—Es usted una detective muy rara. Siempre pensé que a ustedes les importaba bien poco el tema de la intimidad ajena porque en realidad se pasan la vida husmeando en ella.

—Y no siempre huele bien, es cierto. Pero eso no significa que no sepamos el valor que tiene. Y no me refiero a que nos paguen por desvelarla.

—Entonces, ¿tiene reparos en tomar mi caso?

—No. Si no los tiene usted, yo tampoco. ¿Los tiene? ¿Está seguro de que necesita conocer esta parte de la historia de su madre?

La respuesta verbal no mostraba dudas, seguramente había abandonado su cerebro antes de que yo hubiera terminado de formular mi pregunta, pero los ojos sí dudaron. Tal vez por primera vez se preguntó si sería capaz de aceptar lo que pudiera descubrirle.

—Tengo que saberlo —dijo, sin embargo.

—De acuerdo. Estudiaré el asunto y mañana le

contaré cómo voy a proceder. ¿Me puedo llevar algunas de las fotos? Las escanearé y se las devolveré enseguida.

Me entregó las fotos con la seriedad de un agente secreto pasando documentos en plena guerra fría. Me fijé de nuevo en sus manos, que crecían desproporcionadas a partir de las muñecas, como las cabezas de los polluelos de las cacatúas. Y su cara me resultaba vagamente familiar. No es que sus rasgos se me hicieran conocidos, sino la forma en que estaban distribuidos por la cara, un pentágono con la punta en la barbilla en las fotos de su juventud, que mutaba en un hexágono en la cara actual.

Eso ya lo había visto en alguna parte.

—¿Me podría dar una foto reciente de usted?

—Sólo tengo de carnet.

—Ya me sirve. Necesito también un número de teléfono seguro al que pueda llamarlo sin despertar sospechas.

Recogí toda la información que necesitaba y salí de esa casa, que desde hacía un rato olía a aire estancado, a humedad, a recelo.

Regresé a Barcelona sin dejar de dar vueltas a lo que me había contado Rovira.

Por el camino empecé a notar una pérdida de visión, los coches se me difuminaban en cuanto se alejaban unos metros del mío. Lo extraño era que con las caras me sucedía lo mismo a pesar de la cercanía. Los rostros de la gente con la que me cruzaba me parecían borrosos, desdibujados. Un problema grave para una observadora profesional.

Decidí acudir a mi oculista antes de iniciar los preparativos del caso. Mientras esperaba en la sala de espera, descubrí que los números impares pueden tener ventajas al darme cuenta de que podía tomar el tubo central del viejo radiador como eje a partir del cual organizaba los otros diez en cinco a la derecha y cinco a la izquierda. Un descubrimiento tardío e inútil que me habría deparado un gran alivio en la clínica, cuando la imparidad me molestaba y que ahora sólo me servía para matar los minutos sin gastar apenas energía.

Cuando por fin me atendió, le conté que los rostros me aparecían difuminados. Me miró con cara de preocupación.

—Para eso que cuentas no hay una causa orgánica, sino neurológica —me dijo muy seria.

Empezó a explicarme algo sobre shocks postraumáticos y sus posibles consecuencias, y casi sin transición empezó a hablarme de su hijo mayor que se había metido en asuntos sucios con un compañero de la universidad. Algo de una estafa en internet. Su hijo estudiaba Económicas y ahora no sólo pendía sobre él la amenaza potencial de la cárcel, sino otra mucho más real de unos matones que ya habían encontrado a su compañero y le habían dado una paliza brutal.

Apreciaba a esa oculista, pero mientras me contaba esa historia llena de decisiones estúpidas y, por supuesto, erróneas, resolví cambiar de médico. Lo que hice aun antes de que me diera la receta para unas nuevas lentillas. Había perdido una dioptría más. Ya eran doce.

La siguiente consulta, una semana después, trece dioptrías. Fue con un doctor cerca de Detectives Marín.

A ella, a pesar de que la historia que me contó era un lastre molesto del que tuve que deshacerme, le di la tarjeta de la agencia y la recomendación de que pidiera a Marín que encomendara el caso a la detective Flavia Irigoyen.

Así fue.

En las superproducciones de cine de catástrofes se puede aceptar que el protagonista se detenga un momento a salvar a un perrito en peligro. Después ya tendrá tiempo para ocuparse, con el perrito bajo el brazo, de oprimir el botón que detiene la cuenta atrás de la bomba o dejará el perrito en el suelo y tomará el hacha para reventar la puerta detrás de la que están inconscientes las personas a las que salvará de las llamas. Entre ellas, quizá, la dueña del perrito. En la vida real, en mi vida, no había tiempo para el perrito. Si no se movía él por su cuenta, acabaría ahogándose en el río embravecido o lo aplastaría el edificio en llamas al derrumbarse.

Lamento darles la impresión de crueldad cuando afirmo que cada uno tiene que resolver sus problemas, pero no podía permitirme dedicar tiempo a asuntos que me desviaran de mi objetivo. Cualquiera de ellos abría un abanico de posibilidades que amenazaba con desorientarme.

Viendo el avance de la degeneración de mi vista, no valía la pena hacerme gafas nuevas. Encargué las lentillas de trece y, para ahorrarme una visita al oculista, ya las de catorce. Compré unas gafas de una dioptría para compensar mientras esperaba. En la oficina me podía mover bien sin llevarlas y en caso de que Marín me sorprendiera con las gafas puestas, eran tan finas que no le llamarían la atención.

11

EL SOBRINÍSIMO

Las viejas historias, los rumores, los cotilleos se extienden como una red invisible en las ciudades, en los barrios, en los bloques de casas; son cuerdecitas que salen de una boca y quedan prendidas de otra, que las arrastra consigo y después las lanza a la siguiente, y después a otra y a otra. Si fueran hilos de metal, cortarían cabezas; son hilos de palabras, cortan secretos. Para sacar a la luz esos textos escritos con tinta invisible, necesitaba una llama que los hiciera visibles. La vanidad. Decidí que me haría pasar por periodista y que recorrería las tiendas del barrio preparando un supuesto reportaje.

Me preparé el atuendo y los enseres que se espera de una periodista. Me acerqué a una cadena de televisión local y me llevé todo el material publicitario que me quisieron dar: bolígrafos, blocs de notas, una pegatina con la que decoré mi aparato de grabación, al que, además, pegué una falsa etiqueta de inventario y pedí a Félix, el sobrinísimo, que me falsificara un carnet de periodista.

Creo que todavía no les he hablado de Félix Caballero, el sobrino de Miguel Marín, nuestro experto en informática, también llamado el sobrinísimo. ¿Cómo se lo imaginan?

Se lo digo: treintañero, gordo, con gafas, piel y pelo grasientos, con barba para esconder los granos, camisetas de *Star Trek* o de algún videojuego y la mesa llena de envoltorios de barritas de chocolate, latas de Coca-Cola y vasos de cartón del Starbucks. ¿A que sí?

¡Cómo se han equivocado!

Félix tiene veinticuatro años y un rostro digno de una pintura renacentista. También hay retratos de feos en el Renacimiento, dicen ustedes. Sí, pero menos. Félix hubiera sido un perfecto san Juan Bautista de Leonardo. Debajo de sus camisas impecablemente planchadas se percibe un cuerpo proporcionado, ni muy delgado ni inflado en el gimnasio. El pelo rubio hubiera hecho palidecer de envidia a Durero si no lo hubiera llevado corto.

Este aspecto tenía Félix, el sobrinísimo. Y, con todo, en el fondo también tenían ustedes razón. Porque a los pocos días de trabajar en Detectives Marín me di cuenta de que por dentro era un chico gordo, con gafas, piel y pelo grasientos. Tímido hasta el autismo. A partir de aquí, si les parece bien, dejaré de llamarlo «el sobrinísimo». Creo que ese sobrenombre tan feo fue idea de Flavia.

Ensayé mi papel en el despacho.

—Buenos días. Le llamo de parte del programa de TV3 *La historia cotidiana*, de Marta Rius. Estamos preparando un programa sobre las tiendas que pasan de padres a hijos y nos gustaría hacer algunas entrevistas a los dueños de negocios de este tipo en el Prat. ¿Es éste el caso de su tienda? ¿Le interesaría participar?

Cuando Félix entró tras golpear la puerta levemente, había repetido la frase tantas veces que el programa ya había devenido real.

Félix me había preparado una carpeta que presentaba el supuesto programa para el cual yo, la periodista Marta Rius, llevaba a cabo estas entrevistas.

—Para los más suspicaces —dijo.

—Gracias, Félix. Muy buena idea.

Conseguí que enrojeciera y estuviera a punto de abandonar el despacho a la huida, pero lo retuve pidiéndole que me mostrara el material que había metido en la carpeta.

Mientras Félix pasaba las páginas de su trabajo, lo estuve observando, algo que podía hacer con impunidad porque, cautivo de su enfermiza timidez, no levantó ni una vez la vista para mirarme. Aunque su forma de ser, su comportamiento evasivo y a veces algo torpe lograban que no la percibiéramos, la asombrosa belleza de Félix asomaba a veces por unos segundos. En esos casos no podía dejar de preguntarme qué había hecho de ese hombre tal amasijo de inseguridades. Lo más probable es que nunca llegara a saberlo, ni era ésa mi tarea, pero necesitaba un cámara y tal vez Félix pudiera echarme una mano.

—¿Nunca has tenido ganas de hacer un poco de trabajo de calle para la agencia?

Me miró con tal estupor que temí haber dado por casualidad con la causa de su forma distorsionada de percibirse. Pero no, sólo había topado con otro síntoma.

—¿Yo? ¿En la calle? —Se echó a reír con la risa artificial de un actor de series de sobremesa, de lo que deduje que no rechazaba la idea de plano.

—No tendrías que hacer gran cosa. Te harías pasar por mi ayudante, te encargarías de la cámara, tomarías algunas fotos a la gente y pondrías cara de interés durante las entrevistas.

Estaba visiblemente halagado.

—¿No lo has hecho nunca? ¿No te lo han pedido nunca los compañeros?

Negó con la cabeza, lo hizo con la tristeza de los gordos y los torpes de la clase, con la mirada derrotada de los que se van quedando como restos mientras las filas de los equipos se llenan con chicos que no son ellos y lo único que les cabe desear es no ser el último nombre que suene después del «Bueno, tú».

—Pues a mí me ayudarías mucho.

Teníamos que hablar sobre todo con mujeres mayores que pudieran contarnos viejas historias de Laieta Despuig, la madre de Rovira. Me podía imaginar que la mera presencia de Félix, su timidez que lo hacía parecer tan inofensivo, podría abrirnos muchas puertas. Félix no asustaba, no provocaba ningún deseo más que el de protegerlo.

—Tendré que preguntarle a mi tío si puedo hacerlo. —Fue su manera de decir que sí.

—Ya se lo diré yo.

—¿Cuándo empezamos?

—Mañana. ¿Tienes una americana?

—Sí.

—Póntela y hazte un carnet como el mío. Nada de corbata.

Salió entusiasmado de mi despacho. Tropezó con una silla, tropezó con la mesa y escuché que en la recepción tropezó con algo más, algo pesado a juzgar por el sonido sordo que llegó.

Marín no tenía ningún inconveniente.

—¿No parece nepotismo si además le pago las horas? —preguntó bromeando.

—Es nepotismo en todo el sentido de la palabra —respondí en el mismo tono—. Es un asunto nepotisísimo.

Como muestra de la satisfacción porque sacara a su sobrino de la madriguera, Marín me obsequió con una máxima para que se la transmitiera.

—Dile que sea cuidadoso y preciso con sus observaciones porque ya lo dice la ley de Segal: «Un hombre con un reloj sabe qué hora es, uno con dos no puede estar seguro». Recuérdaselo.

—Por supuesto, jefe.

12

GEOMETRÍA

Por la noche, en casa, me teñí el pelo de un color roji-
zo, caoba, según el paquete. Eso desviaría la atención
de mi rostro.

El penetrante olor del amoníaco me llenó los ojos
de lágrimas. Un hedor como ése es una tortura para
una miope. Los miopes percibimos con mayor intensidad los olores; también oímos mejor. Los miopes pueden desarrollar un sentido del gusto de mayor precisión. Es una sinestesia natural que compensa la carencia
parcial de un sentido. Las neuronas se reorganizan, el
cerebro se reestructura para equilibrar la pérdida de informaciones.

En mi caso, la miopía degenerativa causada por el
shock de la muerte de Víctor y Alicia no agudizó mis
sentidos por separado, sino que configuró un sistema
de percepción más complejo, más inteligente al inte-

grar una percepción extremadamente veloz de las relaciones causales y las redes que éstas entretejen.

¿Por qué les cuento esto? Para que entiendan que esa noche, después de teñirme el pelo de color rojo, resolví el caso Rovira. Mientras el pelo se secaba y me sorprendía con brillos extraños enmarcándome la cara, revisé una vez más las cosas de Víctor. Buscaba algo que no hubiera podido ver al principio pero que pudiera desvelarse ahora que tenía el caso del axolotl, del blanco negro del Prat. Tenía nombres: Roque Reina, Emili y Jaume Peyró, Aurora Claramunt. Sabía que era un asunto de drogas, por supuesto. Tenía otro escenario, el mundo del porno.

Examiné de nuevo sus cajones. Papelitos con números de teléfono, recortes de periódico, entradas de cine, de fútbol, folletos, catálogos. No, Víctor no escribía un diario ni tenía ambiciones literarias, aunque leía mucho.

Algo me arrastró precisamente a sus libros. Una forma se dibujaba con nitidez, mejor dicho, dos, el pentágono que se convertía en hexágono.

Empecé a sacar libros y a mirarlos uno a uno. Los teníamos ordenados alfabéticamente. Encontré lo que buscaba en la «c». Julio Cortázar.

Ya había resuelto el caso de Màrius Rovira. Me faltaba saber qué tenía que ver conmigo.

Decidí salir a observar a los Peyró. Vi luz en las ventanas del piso del hijo. Pensé que tal vez la cantante calva le estaría presentando alguna de las canciones de lo que sería el repertorio de Aurore Clairmont. Me dirigí después a Sarrià, donde vivía el padre. Ninguna ciudad es lo bastante grande para que no se produzcan encuentros fortuitos. Si son posibles en Buenos Aires, Tokio o Nueva York, más probables son en una ciudad pequeña y densa como Barcelona.

Esa noche sólo quería merodear por la zona, pisar las calles que Emili Peyró recorría cada día para conocerlo un poco mejor y tratar de quebrar la imagen superficial del mayorista de tejidos. Por eso dejé el coche y me moví por las calles. Entonces lo vi en una de las calles perpendiculares a la Vía Augusta. A unos cien metros, metido en el coche aparcado, estaba Rodrigo, con la vista fija en la puerta de una casa de dos pisos con altas ventanas protegidas con rejas de hierro forjado con motivos modernistas.

Me imaginé que se trataba de otra de sus escapadas de «justiciero». Recordé su aparición cuando lo conocí en la agencia y sentí una súbita ternura al imaginarlo sobrevolando Barcelona con la toalla a modo de capa. Rodrigo Carrasco, el supermán con tripita del Clot.

La calle estaba desierta; si me volvía, el súbito movimiento le llamaría la atención. Me iba a ver de todos modos. Decidí seguir mi camino. A los pocos metros, nos miramos. No detuve el paso, lo saludé con un leve movimiento de la cabeza. Él me devolvió el saludo. Cada uno siguió con sus asuntos.

Cuando volvimos a vernos en la oficina, él me obsequió con algunos de sus mejores seudónimos. Le correspondí con dos que le faltaban, Carole Klein y Encarnación Margarita Isabel Verdugo Díez. A María de los Ángeles de las Heras Ortiz, ya la tenía.

Al día siguiente, una tal Marta Rius, una periodista pelirroja a la que nadie podría después describir con otro detalle, recorrió las tiendas del casco viejo del Prat acompañada de la encarnación del nieto con el que cualquier abuela sueña, del yerno con el que los padres desearían ver casada a su hija. Tanto la suavidad arcangélica de Félix como la posibilidad de contarle a alguien las historias que en el entorno familiar normalmente nadie quiere escuchar, nos depararon una agenda llena de citas y, viendo el aspecto de nuestras entrevistadas, a la peluquería del barrio largas colas de clientes.

En este momento tal vez ustedes estarán pensando que si ya había resuelto el caso de Rovira la noche anterior en mi casa, ¿qué hacíamos Félix y yo fingiéndonos periodistas por el casco viejo de la ciudad? Lo que debe hacer cualquier buen investigador, no dejar cabos sueltos. Valió, además, la pena porque me sirvió para redondear la historia, lo que en este caso era más bien secundario pero siempre es satisfactorio. ¿No les parece?

Además, recuerden que yo no había terminado. Aún no sabía qué relación existía entre Emili Peyró y Roque Reina. Una relación que iba, tenía que ir más allá del hecho de que el hijo de Peyró fuera cliente habitual del productor de porno.

Se notaba que a Félix el trabajo le hacía mucha ilusión. Llevaba la cámara con la desenvoltura de un profesional y no abría la boca. Mis entrevistadas lo miraban de vez en cuando de soslayo para disfrutarlo.

—La charcutería la fundaron los abuelos de mi marido y está en manos de la familia desde entonces. Nuestra hija, la mediana, ya trabaja con nosotros.

—No siempre es posible que pase de padres a hijos. Sí, así fue en el caso de los Rovira, que cuando se jubilaron traspasaron la tienda. Pero es que el hijo ya tenía un buen puesto en el banco.

—La tienda es muy esclava. ¿Sabe usted?

—A veces los hijos no quieren pasarse la vida detrás del mostrador.

—Son otros tiempos.

—Además, muchos chicos y chicas hoy en día tienen estudios y quieren trabajar en otras cosas. Como el chico de los Rovira. Siempre fue muy estudioso.

—No como el tarambana del pequeño del estanco. Ése ha acabado mal. Se juntó con hippies y la droga le comió el cerebro. Ahora sólo sirve para acarrear bultos en la tienda. Y fumárseles las existencias a los padres.

—También el género cambia con los años. Hay que modernizarse, ¿no?

—A veces las cosas se modernizan a la fuerza. Como la droguería de al lado. Antes se llamaba Droguería Camps, pero ahora es una droguería alemana.

—Y funcionaba bien, créame, los Camps les pusieron pisos a las dos hijas.

—Cuando Quimet Camps era joven era guapísimo.

—¡Y qué buen bailarín! En la fiesta mayor daba gusto verlo en el entoldado. Y justo fue a fijarse en la Elvira.

—¿Quién lo iba a decir? Porque ella era más bien paradita. Guapa como una virgen.

—Pero igual de sosa, con perdón.

—Nosotros no creo que nos jubilemos nunca. Ahora hemos puesto una dependienta, una chica colombiana, muy limpia, muy educada. Pero a las clientas de toda la vida las atiendo yo, porque ya les tengo tomadas las medidas y hay confianza. No les gusta que entre una extraña en los probadores. Pero a los nuevos y las cositas pequeñas ya las hace ella. A mí la tienda me da vida. Me siento aquí y las amigas pasan a charlar.

—¿Elvira de la droguería? La pobre siempre estuvo muy delicada de salud, cuando no era el estómago era el corazón. Los embarazos los pasó fatal. Entonces no se hablaba de esas cosas de depresión posparto y allí la teníamos despachando en la tienda como un alma en pena, que le pedías un bote de Colón y le venían ganas de llorar.

—¿Qué hombre quiere tener todo el día a una Dolorosa en casa? Por más guapa que sea. Los hombres tienen otras necesidades.

—La Laieta no era quizá la más guapa del barrio, pero era vivaracha, un terremoto.

—Siempre riendo, con esa risa de las que se contagian y ya no puedes parar.

—¡Qué bien lleva los años! Cualquiera diría que el año próximo cumple los sesenta.

—Bailadora. Como a su marido no le gustaba bailar, en las verbenas tenía que bailar con otros.

—Con el Quimet Camps bailaba tan bien, que una vez, en un pasodoble, hasta les hicieron corro.

—El chico de carácter le ha salido más a su padre, serio, tranquilo, ordenado.

—Sí, se murió de cáncer.

—Ahora en primavera vendemos más los perfumes florales ligeros. También depende de la edad de las clientas. Y de la fidelidad, claro. Hay mujeres que encuentran un perfume y lo conservan toda la vida y otras que cuando se acaba el frasco vienen y me preguntan: «¿Qué tienes nuevo?». «Tome, llévese estas muestras. Éste es de hombre.» Ahora los hombres también se perfuman, no sólo el masaje.

—¿Cuándo dice que dan el programa?

13

ARITMÉTICA

—Y ahora, ¿qué vamos a hacer? —me preguntó Félix. Ese «vamos» me sorprendió.

—Decirle la verdad a Màrius Rovira.

—Entonces empezará a sospechar que es el hijo del droguero.

—Yo no he dicho que le hablemos del droguero y de la relación que tuvo con su madre. ¿Qué quiere saber Rovira? ¿Cuál ha sido su pregunta?

—Si su padre era negro.

—¿Lo era?

—No.

Ya le había contado a Félix que los rasgos de Rovira se debían, en mi opinión, a que sufría acromegalia, la misma enfermedad que sufría el Cronopio Mayor, que había agigantado los rasgos de Julio Cortázar, una hiperproducción de la hormona del crecimiento. Sólo necesité sacar los libros de Cortázar y comparar las fotos para ver cómo pasaba de un pentágono a un hexágono, cómo se le agrandaba la mandíbula, se le ensanchaban la nariz y los labios, se le levantaban los pómulos hasta convertir su rostro en una máscara de dios azteca.

Además, después de hablar con gente que hasta recordaba el color de los zapatos que habían llevado en las fiestas mayores de los últimos treinta años, era más que llamativo que no se hubiera mencionado nunca la presencia de un negro en el barrio.

—¿No se enfadará mi tío?

—No. Ya le he dado mi opinión sobre el tema.

—¿Qué ha dicho?

—Que vale. Que no hay respuesta más inútil que la de la pregunta que no se ha hecho.

—Teorema, ¿de quién?

—Creo que esta vez era el teorema de Ricart.

Félix sonrió de oreja a oreja.

También sonrió Rovira cuando le comuniqué los resultados de mi investigación. Después se puso muy serio. Fue cuando le comenté mi sospecha de que sufría de acromegalia.

—Irene, no sé cómo mostrarle mi agradecimiento.

Yo sí lo sabía y tenía que darme prisa antes de que el ofrecimiento sincero no fuera más que el recuerdo de una fórmula cortés. Estábamos llegando al final. Ese caso no era como el de Peyró, no tenía coda y hasta el momento mi investigación no había avanzado.

Todo el camino hasta el Prat lo había pasado ocupada en este pensamiento, rememorando el caso en busca de la señal, pero no veía cuál era la información verdaderamente relevante, dónde se escondía el sentido del caso Rovira. Hasta que pensé que quizá estaba buscando en la parte equivocada, que estaba revisando el texto y el título cuando en realidad debería concentrarme en el protagonista, el axolotl, Màrius Rovira.

Crucé el puente de la autovía sobre el río Llobregat. «¿Por qué Rovira?», era entonces la pregunta. Tomé la pronunciada curva antes de entrar en el casco urbano. Porque me va a ayudar. ¡Eso era! Aparqué en la antigua rambla de la ciudad y me senté en un banco para pensar qué era lo que le tenía que pedir a Rovira. Una mujer en chándal salió de un portal estrecho y empinado con un labrador dorado. «Cuando vuelva a entrar en el portal tengo que saberlo.»

Quince minutos después, la mujer y el perro regresaron. Había sido un paseo corto. No importaba. Ya sabía lo que quería.

Esperé a que desaparecieran en el portal y después me levanté para ir a casa de Rovira.

No. Él no era el marciano que había visto Alicia, ya se lo he dicho. Rovira no era protagonista en esa película.

—Irene, no sé cómo mostrarle mi agradecimiento.

Me ofreció su ayuda, pues, y acepté. Porque ya sabía lo que él me proporcionaría, información.

Había pensado una batería de argumentos para contrarrestar su esperable resistencia. Recordaba que me había hablado de la confianza que sus clientes depositaban en él y de cómo le hacía sufrir la pérdida de la confianza en sí mismo. Sin embargo, no necesité esgrimir ninguna de las razones, ni siquiera quiso saber para qué quería esa información. Tomó nota de los datos que le di y me prometió empezar al día siguiente a averiguarlo. Ni la confianza de sus clientes, ni el secreto bancario se podía interponer entre él y la persona que lo había liberado de lo que parecía considerar el peor de los destinos imaginables, haber sido mulato toda su vida sin saberlo.

Al día siguiente me llamó a la oficina. Había encontrado a Emili Peyró entre la nómina de clientes de su banco. Me había hecho unas copias de los movimientos de sus cuentas en los últimos seis meses. Sí, había algunas cosas extrañas, pero mejor que lo observara yo misma. Me las enviaba por mensajero. Las tuve en mis manos poco más tarde. Descubrí enseguida a qué se refería. Cada mes, Peyró retiraba una cantidad fija de dinero en efectivo que no coincidía con ninguno de los pagos que solía realizar por transferencia.

Si algo había aprendido de Peyró padre era que resolvía en efectivo los asuntos que le resultaban embarazosos. Cinco mil euros en efectivo todos los meses. No cabía duda, Emili Peyró era víctima de un chantaje. ¿Quién estaba detrás de ello? Por supuesto, Roque Reina.

14

GUAYOMINÍ

—¿Adónde van las personas que desaparecen? —me había preguntado una vez Alicia durante el desayuno.

—A Guayominí —le respondí.

No sé por qué lo dije. Me salió así.

Para Alicia, como para todos los niños, las conversaciones de los padres estaban llenas de palabras oscuras, de fragmentos misteriosos y sugerentes. Imagínense, pues, los retazos que llegan a un niño de lo que hablaban un policía y una detective. Y ella quería saber.

—¿Dónde está Guayominí?

—Ése es el punto, nadie lo sabe porque es un lugar que cambia y por eso necesitamos buscar tanto.

Víctor había movido la cabeza como diciendo: «¿Qué le estás contando esta vez a la cría?». Pero al final él también acabó enviando a gente a Guayominí. La joven colombiana que transportaba drogas en el cuerpo y que habían encontrado muerta en un contenedor, a la que mencionó sin darse cuenta de la presencia de Alicia, estaba en Guayominí. También vivía allí el hijo de un traficante de drogas al que Víctor y sus compañeros anduvieron buscando infructuosamente durante un par de meses y un camello del que sólo se encontró la ropa flotando en el Llobregat. Guayominí, el país que se desplazaba por el espacio y donde la gente cantaba canciones horteras en inglés, se convirtió en un reino poblado por personas cuyos nombres nos perseguían a Víctor y a mí, pero que no tenían por qué perseguir a nuestra hija. El reino de los desaparecidos borrados, donde las viejas con demencia senil que salían de casa y no sabían encontrar el camino de vuelta de la panadería jugaban al escondite con los camellos que tenían que cambiar de barrio y con los sólidos padres de familia que un día y sin aviso previo ponían tierra de por medio. Si los hallabas, te daban puntos en inglés y en francés. Doce puntos.

—¿Y por qué los buscáis?

—Porque muchos se han ido sin despedirse, y eso no se hace.

Y porque cuando los encontrábamos vivos y los devolvíamos a su lugar, sentíamos que tal vez nuestro trabajo sí tuviera algo de sentido. Eran momentos dulces.

El catálogo de asuntos de los que se ocupa un detective es muy amplio, pero se puede dividir en dos sabores: dulce o amargo. Los casos de sospecha de infidelidad, por ejemplo, son amargos. Cuando los resuelves, puede que incluso te den las gracias, pero es un agradecimiento cargado de rencor, de odio hacia el mensajero. Sí, son siempre amargos, porque incluso si demostramos que las sospechas eran infundadas, nunca matamos la desconfianza de raíz y esta raíz tiene un sabor muy amargo, como la del regaliz. Absentismo laboral. Amargo también. Son casos que no me gustan. Suelen ser mezquinos, o bien lo es quien se escaquea del trabajo o bien quien encarga la vigilancia. O ambos. Amargo. Siempre.

En cambio, cuando nos piden que busquemos a alguien desaparecido, no sabemos qué sabor nos acompañará cuando comuniquemos nuestros resultados al cliente, pero sea el que sea, podemos hacerlo con la cabeza alta. Las búsquedas son difíciles, y siempre cabe la posibilidad de que la persona que buscamos esté muerta, pero cuando tenemos éxito, cuando ponemos la pieza que faltaba en el mosaico, nos embarga el sabor dulce de la obra completa. A pesar de que removemos mucha mierda en algunos casos, podemos sacar la mano de la letrina y alzarla triunfantes: lo tengo, la tengo.

¿Por qué les cuento todo esto? Porque mi siguiente trabajo iba a ser un caso de desaparición. Hubiera tomado cualquier tipo de asunto, así eran las reglas, incluso uno de absentismo laboral, a pesar de que eran los que menos me gustaban. Pero ahora se presentaba un caso de persona desaparecida y ante esa perspectiva sentía algo parecido a la alegría.

El problema es que Marín tenía dos desapariciones y que los clientes habían contratado los servicios de la agencia el mismo día. Durante la reunión matinal para hablar del trabajo y repartir nuevas tareas, el jefe los presentó a la vez mientras yo me debatía en el dilema de tener que decidir cuál de los dos tenía que ser. El camino que había empezado con tanto éxito se bifurcaba sin que supiera si necesitaba un mapa para ese tramo. ¿Cuál de las dos carpetas amarillas que reposaban sobre la mesa de Marín era la mía? ¿La de la adolescente? ¿La del abogado?

La mano de Marín pasaba de una carpeta a la otra a la vez que nos hablaba sobre los contenidos. La carpeta a mi derecha contenía el caso de una adolescente, una chica de dieciséis años, que nunca había causado más problemas que los que causa cualquier chica de esa edad, que había huido de su casa después de que su madre la hubiera pillado besándose con una amiga.

—La madre está desolada —nos contaba Marín—. Se hace reproches por haber sido tan poco comprensiva con su hija porque entiende que a esa edad las chicas tienen que tener sus propias experiencias.

—¡Joder! ¡Qué madre! Ya la hubiera querido yo, una así.

Rodrigo acababa de descartarse para el caso. Además, tenía otro entre manos.

Quedábamos Flavia y yo.

Pensé que la búsqueda de la chica iba a ser mía, porque Marín la presentaba mirándome a mí y estaba tan prendida de sus palabras esperando una señal que me indicara si ése era el caso por el que tenía que decidirme, que, aun a riesgo de que empiecen ustedes a dudar de mis cualidades como detective, no noté que a mi lado Flavia se removía inquieta en el asiento.

El jefe, sentado con la espalda apoyada en su sillón, depositaba en ese momento la mano izquierda sobre la carpeta del caso y levantaba la derecha con la solemnidad de un pantocrátor románico antes de pontificar con la mirada perdida en un punto del despacho detrás de nosotros.

—En muchos casos de desaparición, el tiempo resuelve el asunto sin más. Ya lo dice la máxima de Lleal: «Una gran parte de los problemas se resuelven solos. Basta con ignorarlos el tiempo suficiente».

Era la señal que esperaba. No tenía que hacer nada, el problema se resolvería solo.

Me eché hacia atrás en la silla. Flavia seguía inquieta en la suya, guardó con visible impaciencia el silencio de rigor tras las sentencias de Marín, carraspeó un par de veces y, finalmente, se adelantó con la mano tendida:

—Miguel, creo que después del marrón que me he comido con esa histérica de la señora Calderón, es a mí a quien correspondería algo más cómodo esta vez.

Marín la miró; me miró después a mí y asentí con un leve movimiento de la cabeza. Mi caso era el otro.

Marín nos dio a cada una su carpeta. La mía no parecía contener nada. La abrí. En uno de los formularios que usamos para protocolar las entrevistas con los clientes, aparecían el nombre de la persona desaparecida, el nombre de quien la buscaba y la relación entre ambas: «cliente».

—¿Cliente? —pregunté a Marín.

—Habla con nuestro mandante, él te contará el resto.

Flavia ya se dirigía triunfante hacia la puerta. Rodrigo se quedaba para seguir hablando con Marín. Yo me levanté con la escuálida carpeta en las manos. Tenía que ponerme en contacto, pues, con un tal Jordi Gasull, que había perdido a un cliente.

Pero antes me esperaba una emboscada. Al lado de la puerta se había apostado Flavia.

—Lo siento, chica, tener un par de tuercas flojas no garantiza que el jefe te dé los mejores trabajos.

Así que Flavia lo sabía. ¿Sabría también lo que había hecho para acabar allí? No me interesaba. Los intentos de provocación de Flavia, fuera cual fuese la razón que tuvieran, eran como el picotazo de un tábano en el lomo de un león que espera agazapado a su presa. Bastaba con apartarlo de una sacudida con la cola. Detuve el paso el tiempo justo para cambiar la expresión de los ojos. No sé que veían los demás en ellos, me miró asustada y apretó la carpeta contra el pecho.

La voz de Marín atronó a mi espalda:

—¡Flavia! Ya te estás largando. ¡Fuera!

Obedeció al instante y salió de la habitación mascullando maldiciones.

—Irene, ven —Marín se dirigía a mí con suavidad—. Quiero hablar contigo un momento.

Aunque me urgía leer lo que contenía la carpeta, me acerqué a la mesa del jefe, pero ignoré la invitación de Rodrigo para que me sentara de nuevo.

—Los ojos, Irene —me dijo Marín.

Rodrigo miró algo atemorizado, creyendo tal vez que el jefe había descubierto también mi secreta miopía, que había alcanzado ya las quince dioptrías. Pero yo entendí el mensaje y amansé la mirada.

—No dejes que te provoque —dijo entonces Marín—. Flavia tiene muy mala leche. No lo puede evitar. Tiene la sangre revuelta de tanto ir y venir. Sus abuelos fueron exiliados políticos que tuvieron que huir a Argentina durante la guerra y sus padres tuvieron que regresar a España por motivos económicos.

—Eso les ha pasado a muchos y no por eso gastan esa mala majandí.

—Espera, que te falta una parte de la historia. Flavia no llevó bien abandonar Buenos Aires y aquí en Barcelona acabó de pandillera.

Para las chicas en una banda hay pocos roles aparte del de novia, a no ser que sean especialmente duras y consigan ganarse un lugar en el grupo. Pero ¿qué hacía una ex pandillera en la agencia de detectives?

Me lo explicó Rodrigo:

—Entró en la agencia después de que la encontráramos a petición de sus padres. Miguel se dio cuenta enseguida de que esa chica tenía madera, la convenció de terminar sus estudios y de que hiciera la formación como detective.

—De eso hace tres años —añadió el jefe—. En este tiempo ha demostrado ser tenaz y cumplidora; de lo contrario, ya no estaría aquí, pero hay momentos en los que no logra controlarse. Eres la primera colega que tiene, hasta ahora había trabajado sólo con hombres.

—Es pandillera, es muy territorial —comentó Rodrigo.

—Está bien —concedí. Seguía de pie frente a la mesa. El tema en realidad no me interesaba, quería ponerme con el nuevo caso.

—Sé comprensiva, Irene —dijo Marín para terminar—. No siempre podemos estar bajo control.

Me miró a los ojos. No. Me corrijo: no me miró a los ojos, me miró los ojos. No buscando, como se dice, el reflejo del alma o, si prefieren, del estado de ánimo, sino como parte del cuerpo, del mismo modo en que se miran los dedos de un pianista o las pantorrillas de un jugador de fútbol. Órganos que hacen algo. Los míos, por lo visto, mirar con demasiada fiereza.

Con ojos dóciles, me di media vuelta y abandoné el despacho de Marín.

Entonces aún no sabía que el caso que contenía la carpeta más flaca de la agencia iba a cambiarlo todo.

Algún día le daré las gracias a Flavia. O le partiré la cara. O le daré las gracias después de partirle la cara.

15

EL TERCERO

Jordi Gasull, el cliente que buscaba a un cliente desaparecido, prefirió, dijo, que nos encontráramos en la agencia. Lo cité la tarde del mismo día.

—¿Cuál es su profesión? —le pregunté porque pensaba que había un error en el protocolo de entrada del caso.

Me extrañó la intensidad con que clavó su mirada en la mía antes de responder a esta pregunta trivial.

—Ocularista.

—¿Oculista?

—No. Ocularista.

—¿Cuál es la diferencia?

—Yo no me ocupo de ojos sanos sino de ojos muertos. Mejor dicho, de ojos que ya no existen. Los sustituyo. Los ocularistas hacemos y adaptamos ojos de cristal.

Gasull me observó todavía un segundo a través de sus gafas de pasta negra antes de exclamar con voz triunfante:

—Lo sabía.

—¿Qué sabía?

—Que le cambiaría la cara al saber mi profesión.

No repliqué. Seguramente había sido así y esperé a que me explicara en qué había cambiado mi expresión.

—Como todo el mundo, cuando ha creído que era oculista, ha abierto usted los ojos. Es el gesto que se hace cuando alguien nos habla de su profesión, es una forma de mostrar interés. Pero al oír que trabajo con ojos de cristal no ha podido evitar una contracción de los músculos frontales. Es involuntario, es un reflejo porque teme que se le puedan caer los ojos, por explicarlo en palabras comprensibles para un lego. Por cierto, permítame decirle que tiene usted unos ojos extraordinarios.

—Muchas gracias.

Los bajé, los cerré, los abrí y volví a mirarlo. Lo que suele pasar cuando somos conscientes de que alguien observa alguna parte de nosotros, no sabemos qué hacer con ella.

Marín no estaba en la agencia. Después de la reunión matinal se había marchado a una convención en Madrid. Rodrigo estaba ocupado con otro caso y Flavia en la búsqueda de la adolescente desaparecida. Si tengo tiempo ya les contaré cómo le fue.

Por indicación de Sarita, había recibido a Gasull en el despacho de Marín. La silla del jefe me transmitió el tono en el que tenía que dirigirme al futuro cliente.

—Disculpe, tengo una duda referida a este asunto, y es que generalmente las desapariciones las denuncian los familiares o los amigos, es muy extraño que lo haga alguien que no forma parte del círculo más íntimo de la persona.

Me miró con recelo.

—¿Qué quiere insinuar?

—Yo nada, pero entenderá que es algo inusual que un ocularista busque a una detective a causa de un cliente.

—Mire, la relación entre un ocularista y sus clientes es de absoluta confianza. Desde tiempos inmemoriales se han desarrollado prótesis para muchas partes del cuerpo humano: brazos, piernas, caderas, dientes, senos... Pero ninguna es tan delicada como la ocular. El ojo de cristal no ve, pero con él, el cliente recupera una parte de su alma. Fabricar un ojo de cristal es más que crear una forma de criolita de las medidas justas, es más que dar con el color adecuado, es más que colocarla y ajustarla bien, es reflejar el alma del portador. Cuando nuestro cliente se coloca el ojo, éste cobra vida, recibe personalidad y se la devuelve a quien lo porta. Un buen ocularista tiene el don de dar a cada persona el ojo que corresponde a su personalidad.

Me quedaba una última pregunta.

—¿Se ha dirigido también a la policía?

—Si a usted ya le ha parecido raro que busque a mi cliente, ¿cómo cree que lo ha tomado la policía?

—Entiendo.

Realmente lo hacía. No soy amiga de palabras vacías. También había sido sincero mi agradecimiento cuando alabó mis ojos y, aunque no fue necesario manifestarla, sentía una verdadera gratitud porque no me hubiera ofrecido un ojo de cristal cuando lo necesitara.

Gasull buscó algo en su maletín, un maletín de médico decimonónico. Sacó un estuche forrado de terciopelo negro, lo dejó sobre la mesa y lo abrió hacia mí. Un ojo de cristal de color avellana me miraba desde el interior.

—La semana pasada mi cliente, el abogado Federico Sotelo, tenía que haber venido a buscarlo.

Tras estas palabras, el ojo no se entristeció ni me pidió nada. Pero siguió clavado en mí.

—Nunca había faltado a una cita. He llamado varias veces a su casa y no lo he encontrado allí. Vive solo desde que se divorció hace un año. Cuando llamé a su bufete y su secretaria me dijo que hacía una semana que no se presentaba por el despacho, entendí que algo había pasado.

Aparté la vista del ojo color avellana y me encontré los de Gasull suplicándome.

—¿Acepta el caso?

Asentí porque él no podía saber que ya lo había aceptado cuando era sólo una carpeta escuálida.

El siguiente paso fue, por supuesto, visitar el bufete del abogado.

Sotelo tenía su despacho en la plaza de Lesseps. Subí hasta un tercer piso y me encontré frente a una puerta de cristal en la que se leía grabado en letras doradas FEDERICO SOTELO. ABOGADO. Encima y debajo del texto, unas filigranas abarrocadas a través de las cuales me llegó una mirada curiosa y después hostil.

Abrí la puerta sin que la mujer que estaba detrás de una mesa que ya hubiera querido Marín para sí dejara de clavarme los ojos con una animadversión que me resultaba incomprensible y que estalló antes de que pudiera terminar de presentarme.

—Buenas tardes. Estoy buscando a Federico Sotelo...

—¿Tú también lo buscas, zorrón? Pues ya somos dos.

Antes de responder, me miré. Nada en el modelo que tocaba los miércoles templados sin lluvia justificaba que me hubiera denominado así.

—Me temo que me confunde con otra persona.

Pero la recepcionista estaba demasiado lanzada para detenerse todavía.

—Te hacía más jamona, pero veo que eres poquita cosa.

—Será porque no como mucho. ¿Con quién tengo el gusto de departir?

La ira que había derramado sobre mí se frenó en seco por el bochorno.

—Perdón. Entonces tú no eres, usted no es...

—¿Quién?

Cayó pesadamente sobre el sillón. Me miró con una mueca desconsolada y se echó a llorar.

—Perdone. Es que estoy muy nerviosa.

Me senté frente a ella y me presenté. Sin dejar de llorar asentía a las informaciones que le daba. Lentamente se fue tranquilizando.

—¿Quién pensó que era yo?

—La fulana con la que me engaña desde hace unos meses.

—¿Es usted su mujer?

—No. Soy Sandra Martínez, la fulana con la que la engañaba hasta que se separaron.

Sonrió con tristeza.

—Y ahora el tío se habrá largado con la otra, a saber adónde. ¡Como se la haya llevado a Venecia, lo mato! Pero es que todavía no sabe quién soy yo, con quién se está jugando los cuartos ese drogata de mierda —estalló.

Si una cosa sabemos los detectives es cuándo estamos mejor callados. Y ésa era una ocasión. Le tendí un pañuelo de papel.

—Que se cree que no me doy cuenta de nada, de cómo engaña a algunos clientes, de sus trapicheos. Se cree que me chupo el dedo y no me enteré de las llamaditas directas de la fulana, de «Hoy tengo una comida de trabajo, Sandra», de «Lo siento, pero este fin de semana tengo a los suegros en casa» o «En este viaje me acompaña mi mujer, cómo lo siento, Sandra». Como si no me hubiera enterado de que ella lo había dejado. ¿Cómo cree que me va a engañar a mí, que he vivido todos sus tejemanejes de primera mano?

Hablaba señalando con el índice a un público, un jurado imaginario que tenía que declarar culpable al hombre que le había regalado el anillo con un diamante que movía ante mis ojos. Vi también los pendientes, que no hacían juego con el anillo pero parecían igualmente caros. De ellos pasé a la gargantilla con un rubí, si no me engañaba. El bolso de lujo que colgaba del respaldo de la silla acabó de confirmármelo. La mujer se había puesto todos los regalos que le había hecho Sotelo. Se había convertido en una figura votiva para conjurar su vuelta. Sandra Martínez tenía miedo.

Me tocaba ya preguntar.

—¿No teme que le pueda haber pasado algo malo?

—Una gonorrea, espero.

—Entonces, ¿es normal que esté una semana sin aparecer?

—Mire, Federico es un abogado de primera. No tiene escrúpulos y mucho éxito, pero está enganchado a la coca. Y a veces se puede pasar una semana colgado por ahí.

—¿Y los clientes?

—Se lo perdonan. Creo que algunos saben que les engaña con las minutas, pero se lo aguantan porque en cualquier litigio saca el jugo al contrario sin piedad, caiga quien caiga.

—Me temo que esta vez quizá la cosa haya sido diferente. No fue a probarse y adaptarse el ojo nuevo.

Sandra quedó congelada y pálida como si hubiera sufrido un baño súbito en hidrógeno líquido.

—¿No fue a la consulta de Gasull?

—No.

—¡Dios mío! Y yo pensando y diciendo estas barbaridades.

Empezó a mover la cabeza de un lado a otro y habló sin mirarme:

—Siempre le decía que dejara lo de la coca, o que la comprara en otro sitio, pero él se empeñaba en ir a lo de esos gitanos.

—¿Dónde?

—En un poblado cerca del barrio de Vallbona, en Montcada. Una vez lo acompañé. Nunca más.

Mi teoría sobre las drogas recibía una nueva confirmación. Decidí seguir probando suerte.

—Sandra, necesitaría que me diera una información, pero me temo que atentaría contra el secreto profesional de su jefe. O contra el suyo.

—Pero ¿la ayudaría en su búsqueda?

—No sabe usted cuánto.

—Pues adelante, ¿qué quiere saber?

—Tengo la impresión de que antes, cuando usted me ha confundido, he sido destinataria involuntaria de informaciones indiscretas.

Sandra enrojeció abochornada.

—Creo que lo que usted ha insinuado —no quería todavía mencionarlo abiertamente— podría estar relacionado con la desaparición de su jefe.

—¿A qué se refiere?

—Al hecho de que las minutas que presentaba a los clientes fueran, digamos, algo creativas.

—¡Ah! ¡Eso!

—Si me pudiera dar algunas informaciones concretas, tendría un punto de partida para mi búsqueda.

No dudó. Entró en el despacho del abogado. No con el despecho de la amante, sino con la resolución de la mujer que lucha contra la adversidad. Me parecía poder ver todas las imágenes de películas que se agolpaban en su cabeza y cómo se metía en la piel de una resuelta Lauren Bacall para acabar decidiéndose por una más frágil Grace Kelly. La esperé en la entrada para no interferir en su transformación. Escuché cómo abría un cajón de metal, ruido de papeles y carpetas. Salió con un paquete de hojas de formatos diferentes unidas por una anilla. Papel cuadriculado, rayado, amarillo, con márgenes de flores, con una cabeza de Mickey Mouse de fondo, fino, satinado, arrugado... Las hojas que tenía a mano en el momento en el que se le ocurría anotar algo, cifras, teléfonos o direcciones. La poca claridad de la letra de Sotelo hacía aún más oscuras las informaciones. Las palabras eran amalgamas vermiformes de signos picudos. Los números, en cambio, eran diáfanos. Siempre lo son, ya lo sé, pero ahora me refiero al trazo. Los ceros eran rotundos, ligeramente ovalados; los cincos tenían la barriga abultada, pero no hinchada; los cuatros estaban firmes sobre el pie; los sietes no daban la impresión de estar a punto de desplomarse. Cifras diáfanas y sólidas, así eran las que poblaban las hojas que me tendía Sandra.

—Lo tiene escondido en el mismo cajón en el que guarda la coca y los condones. Es una especie de doble contabilidad, diría. No es muy precavido apuntar según qué cosas, pero él mismo es consciente de que un cerebro algo maltratado por la droga no es dueño de la mejor memoria.

Le di la razón a la recepcionista y me felicité por haber evitado todo el tiempo anotar los avances que hacía en mi caso. No había nada mío que pudiera caer en manos ajenas.

—¿Me lo puedo llevar un par de días?

—Todo lo que haga falta. Lo importante es que Federico regrese.

Prometí mantenerla informada de lo que averiguara. Secreto profesional por secreto profesional.

Esa misma tarde me dediqué a los papeles de Federico Sotelo. No necesité indagar mucho. Pronto di con lo que buscaba. No hay como saberlo para dar pronto con las formaciones que completan el cuadro que queremos pintar.

Entre todas esas cifras de arcos y líneas bellamente trazados, distinguí la reiterada presencia de un cinco mil. La cifra era la misma que, según había descubierto Rovira, el blanco-negro, Peyró retiraba del banco, y se repetía varias veces, lo que implicaba cierta regularidad. ¿Por qué no mensual? No era Roque Reina, pues, era Sotelo quien chantajeaba a Peyró.

La desaparición de Sotelo apuntaba a que tal vez había ido demasiado lejos y tenía que esconderse. O tal vez Peyró se había hartado de esa sangría constante y había decidido cortarla por lo sano. Lo creía capaz. Se mata con frecuencia para defender lo que se tiene. Sotelo era una rapaz muy hábil, pero tal vez había subestimado el instinto de supervivencia de su presa, un viejo felino malherido que prefería morir matando.

Pero ¿qué tenía Sotelo, estuviera vivo o muerto, contra Peyró?

16

CONTRA LA MURRIA

Todos en la agencia pensaban que había cerrado con éxito mis dos casos; en cambio, yo era consciente de que el asunto Peyró estaba abierto y aún no había vislumbrado si era el núcleo de mi investigación o un simple fleco. Eso me causaba gran desazón, a pesar de que tenía la certeza de andar por el buen camino.

Los flecos en los casos ponen muy nerviosos a los detectives. Es una enfermedad profesional, una especie de afán de perfeccionismo que nos empuja a no dejar cabos sueltos y que es a la vez la causa primera de nuestra frustración. Los casos sin resolver nos hacen muy infelices, por eso, con los años, los detectives se vuelven melancólicos. Al principio de sus carreras algunos son más bien jóvenes airados, como Flavia; otros son policías frustrados, como sospecho de Rodrigo; otros son románticos emprendedores como Marín. Tras una década de profesión, sobre el romanticismo marlowiano, el policía que no pudo ser o la ira que sigue existiendo, se ha depositado ya una pátina de melancolía.

Para que la murria no nos devore el ánimo, tenemos que encontrar momentos de felicidad que pongan el contrapeso. Yo los colecciono. No los he vivido y me temo que, dadas mis circunstancias y el poco tiempo que me queda, no tendré oportunidad de hacerlo. Así que, por si alguno de ustedes puede usarlos, les apunto algunos. Cada uno de ellos puede borrar las frustraciones de un año de profesión. Son éstos:

- Completar un cuaderno de dibujos para colorear usando la caja de 120 lápices de la serie Polychromos de Faber-Castell.
- Doblar una película de Bugs Bunny.
- Tocar el trombón en el tercer movimiento de la sexta sinfonía de Tchaikovski.
- Tumbarte en una hamaca a la sombra y adormecerte mientras te leen una de tus novelas favoritas.
- Escribir una página entera a pluma sin hacer borrones ni arrastrar la tinta por el papel con el canto de la mano. Recuerden que soy zurda.

Tengo más, pero sólo les voy a mostrar cinco. Las listas con cinco ítems son agradables, ya no son meras enumeraciones como las de tres ni sufren el carácter incompleto que lastra las de cuatro o seis. ¡Qué feas! Para una de siete me falta tiempo, lo siento. Tal vez en otro momento, aunque lo dudo.

Pero estaba hablando de flecos.

Después de la reveladora conversación con Sandra y con los papeles de Federico Sotelo como demostración de que mi hipótesis era correcta, tendría que seguir vigilando el negocio de los Peyró.

Tendría que seguir observando al padre para descubrir si era el autor material o el causante de la desaparición de Sotelo. Si éste se escondía o le había pasado algo, esperaba averiguarlo.

Quería también volver a observar al hijo ahora que sabía que mentía, que todo lo que hasta entonces había visto de él era postizo. Quería mirarlo desde esta nueva perspectiva y comprobar si su fachada era tan perfecta o si tal vez la miopía me estaba llegando al cerebro y podría haberlo descubierto de haber aguzado la vista.

De momento, lo más urgente era ir al poblado de chabolas donde Sotelo solía comprar la droga. Llamé a Rodrigo para pedirle que me acompañara.

—Claro —dijo, y no me preguntó por más detalles. Algo pasaba.

—Si te parece, cogemos tu coche.

—Bien.

—¿Te pasa algo, Rodrigo?

Silencio.

—Conmigo puedes hablar. Ya sabes que soy discreta.

—¿Puedo ir a tu casa?

Vacilé un poco. Desde que había salido de la clínica sólo mi familia había entrado en mi casa. Y una terapeuta que vino a supervisar mi estado y que inspeccionó el piso en busca de signos de dejadez que indicaran que no era capaz de organizar mi vida diaria. Dudo que haya una vida cotidiana mejor organizada que la mía. Así lo debió de ver también ella, porque no regresó. La visita de Rodrigo era una perturbación. Me disponía a decirle que no cuando insistió.

—Es urgente. E importante.

Accedí.

Unos tres cuartos de hora más tarde le abrí la puerta. No venía solo. Una muchacha asiática muy joven, con un vestido muy corto y un escote que presentaba un pecho incipiente, lo acompañaba. Entraron. Ella lo siguió con una mezcla de miedo y alivio que recordaba un perrito recién sacado de la perrera. No levantó la vista del suelo.

—¿Qué le pasa a la chica?

—Es Marifló. Es filipina.

Tampoco miró al oír su nombre. Mientras cerraba

la puerta, Rodrigo empezó a explicarme atropelladamente su situación. Hablaba casi sin respirar, como si temiera que una pausa me pudiera dar la oportunidad de negarme a lo que estaba a punto de pedirme, que acogiera a esa chica por unos días en mi casa. La había encontrado en un burdel clandestino mientras seguía a un marido putero. No tenía papeles y estaba en manos de una banda que explotaba a menores asiáticas.

—Yo no puedo hacerme cargo de ella, Rodrigo.

—No es necesario. Yo me ocuparé de todo.

—¿Por qué no la alojas en tu casa?

—Porque temo que sepan que he sido yo quien se la llevó. La tenían atada a la cama, Irene. Tiene doce años.

Sin quererlo, acepté.

Sólo había una cama para ella, la que había sido de Alicia. No había vuelto a abrir la habitación desde que metí sus cosas en cajas. No tenía sentido conservarlas como ella las había dejado porque no estaba desaparecida. Estaba muerta. Los padres de los niños desaparecidos conservan sus cuartos tal como quedaron, aunque hayan pasado veinte años y la persona que pueda volver sea adulta, pero los padres de los niños muertos no deberían conservar sus habitaciones como mausoleos porque eso impide aceptar la realidad. Y si había algo que no quería olvidar en ningún momento era la realidad. El cuarto con esos muebles desnudos me decía que lo que había sucedido era definitivo y evitaba que el dolor se atenuara.

Le mostré la habitación. Dejó la bolsa de supermercado en la que llevaba sus pocas pertenencias en un rincón. No se atrevió a ponerlas sobre la silla. Lo miraba todo moviendo sólo los ojos, sin atreverse a tomar posesión del espacio con algún movimiento del cuerpo. Después de recorrer toda la habitación con la mirada, bajó de nuevo los ojos y me dijo:

—Tu hija no vive, ¿verdad?

—Así es.

No le iba a dar explicaciones. Hablar puede atenuar el dolor. Marifló se encogió aún más.

—No te preocupes —le dije entonces—, puedes usarlo todo, la cama, la silla, el armario...

Salí del cuarto para que tomara posesión lentamente.

Rodrigo me esperaba en el comedor.

—Serán sólo un par de días. Hasta que tenga una solución.

Ya sabía que habría observado mi espacio como un profesional. Será por eso por lo que los detectives pocas veces se invitan a sus casas, siempre prefieren quedar en espacios ajenos que no den demasiadas informaciones a los colegas.

—Bueno. Voy a comprarle algo de ropa. Así no puede ir vestida. ¿Me acompañas?

Le dije que no.

Se marchó. Pensé que, acostumbrada al cuartucho miserable en el que había contado Rodrigo que la habían tenido encerrada varios meses, el cuarto de Alicia ya sería suficiente para ella. No quería que se moviera por el resto de la casa mientras yo estuviera allí. Necesitaba tranquilidad.

Volví a la habitación. La encontré mirando una foto de Alicia disfrazada de pirata, de Corsario Negro.

—Estaba en el suelo —dijo disculpándose.

—Está bien. No pasa nada.

Me di cuenta de que estaba llorando.

—¿Qué te pasa? —le pregunté.

—Está muerta. La niña está muerta.

—Lo sé. Ya te lo he dicho.

Me miró con extrañeza.

—¿Tú no lloras?

—No. No quiero.

—¿Puedo yo...?

—Si quieres...

Le di toallas y, contra mi primera intención, le dije que podía moverse por toda la casa a sus anchas. Le enseñé dónde estaba el mando a distancia, cómo funcionaba el microondas y le di una copia de las llaves de casa.

—Aunque creo que será mejor que no salgas de casa.

Asintió muy seria.

Rodrigo apareció una hora más tarde. Le había comprado dos tejanos y unas blusas de cuadritos, como si con esa inocencia quisiera limpiarla de toda la bajeza de que había sido víctima. Le dio instrucciones y después se marchó.

Cenamos en silencio. Marifló no era muy habladora.

A la mañana siguiente, cuando salí de la ducha, me encontré sobre la cama las piezas de ropa que correspondían según la cuadrícula, cielo despejado, veinte grados. El café estaba hecho y Marifló había llorado por Alicia.

17

OJOS

En las películas, la chica se va sola a una barriada como el poblado en el que Sotelo compraba la droga para preguntar a los traficantes por un hombre desaparecido. En las películas va de noche. Y en las películas tiene la ocurrencia de ir sin pistola.

Rodrigo y yo fuimos juntos, a plena luz del mediodía. Rodrigo llevaba una pistola.

—Yo conduzco —me había dicho al llegar al coche.

—Está bien.

Dejé, pues, las gafas en el bolso, sin imaginar la trascendencia de ese gesto.

Rodrigo no había puesto ningún inconveniente cuando le pedí que me acompañara. Recordé lo que me había dicho Aurora Claramunt sobre la cobardía y las erres de Roque Reina. Rodrigo Carrasco, en cambio, era tan valiente como las consonantes de su nombre.

—¿Así que Flavia no quiso este caso? —me decía mientras nos dirigíamos hacia las Rondas—. Pues se enrabiará cuando se entere de que te estás moviendo por zonas duras.

—¿Por qué?

—Por su pasado se siente la más apropiada para estos territorios.

—¿Por qué me tiene tanta manía, Rodrigo?

No es que me importara demasiado, pero como todo hecho inexplicable, me despertaba cierta curiosidad. Él reflexionó un poco con la mirada clavada en el denso tráfico que pugnaba por salir de la ciudad.

—Creo que teme por su estatus en la agencia. Antes de que tú llegaras, su historia era la más fuerte, la más dramática, pero la tuya la supera.

Era tan absurdo lo que me decía que no me quedó más remedio que responder igual:

—Si quiere, aprovechando que hoy llevamos una pistola, después de pasar por Vallbona le matamos a los padres y un par de amigos para que vuelva a ser la número uno.

Rodrigo no se rió. Me miró muy serio.

—Te voy a echar mucho de menos cuando nos dejes, Irene.

—¿Qué te ha dado ahora?

—¿Ves? No lo has negado. Nos vas a dejar, ¿verdad? Vas detrás de algo y cuando lo encuentres te irás, ¿no es así?

Un motorista suicida y los insultos consecuentes de Rodrigo cubrieron mi silencio. Me pregunté si lo había empezado a pensar después de ver mi casa o si ya lo sospechaba antes.

Tomamos la salida hacia Montcada y empecé a dar instrucciones a un mohíno Rodrigo.

—Déjame hablar a mí primero.

—¿Y eso?

—Si yo hablo, parece que tú eres mi protector. Si lo hacemos al revés, no queda muy clara cuál es mi función en el asunto. Con un hombre como escolta, parece que soy importante y quizá se avenga alguien a hablar conmigo.

Asintió, aunque no muy convencido.

—Por cierto —añadí—. Aún no me has preguntado qué ojo le falta.

—¿Qué ojo le falta?

La voz de Rodrigo tenía el tono de enervada obediencia de los niños en las visitas familiares.

—El derecho.

—¿Cómo lo perdió?

Ahora la curiosidad era real.

—Un accidente, me dijo Gasull, un golpe al saltar al mar desde un barco.

Miré a Rodrigo mientras se lo contaba y reconocí el gesto de oprimir el músculo frontal que tanto divertía al ocularista.

Dejamos el coche lo bastante lejos para asegurarnos de que tendría todas las piezas cuando regresáramos y nos aproximamos a la zona en la que se vendía la droga.

Allí, las viviendas habían dejado paso a cobertizos y barracas a medio levantar o a medio caer. Cruzamos un descampado lleno de plásticos, bolsas de basura y barro. Un grupo de adolescentes nos avistó desde una ventana sin marco en una de las construcciones más enteras. Al poco nos salieron al paso. Yo caminaba delante, Rodrigo un par de pasos detrás. Los miré. Se apartaron y nos hicieron un pasillo que apuntaba a lo que podría haber sido una plazuela. A un lado vimos a un yonqui sentado en una silla de plástico con sólo tres patas. Emitió un murmullo, como si quisiera pedirnos algo, seguramente dinero. Lo miré. Al instante bajó la mirada turbia y la dejó entre sus zapatillas de baloncesto mugrientas. Unos pasos más adelante nos cruzamos con dos mujeres y una niña de unos diez años vestida por completo de rosa. La mujer más joven cubrió con la mano la cara de la niña y la volvió hacia un lado; la otra miró también en otra dirección y se santiguó. Fue entonces cuando entendí que eran mis ojos y no sólo la pistola que Rodrigo dejaba que se marcara debajo de la chaqueta lo que nos estaba abriendo paso hasta la casa de los proveedores. Di un golpecito al bolso saludando a las gafas en su estuche.

Cuando estábamos a unos diez metros de la casa principal, alguien nos gritó que nos detuviéramos. La puerta se abrió y salió un hombre de unos treinta años, corpulento, con el pelo engominado. Iba vestido como si estuviera haciendo deporte, chándal de marca y zapatillas a juego. Nos miró con indiferencia, pero acabó acercándose.

—¿Qué queréis?

Le expliqué que estábamos buscando a un hombre desaparecido. No hizo falta que le dijera que no éramos policías. Ya lo sabía. No era un jefe, a duras penas un lugarteniente, pero tampoco necesitábamos hablar con alguien de muy arriba. Éstos no suelen saber quiénes son los clientes al por menor.

Le mostré una foto que me había dado su secretaria.

En ella, Sotelo sonreía consciente del atractivo de sus facciones regulares, los músculos cigomáticos levantaban las comisuras de unos labios carnosos pero no demasiado gruesos. El famoso músculo frontal no se contraía intentando sujetar el ojo, todo lo contrario, el ojo de cristal también sonreía. Me acordé de la semiesfera de criolita huérfana de expresión en su estuche de terciopelo.

—Sabemos que compraba aquí.

—Puede. Pero hará tiempo de eso.

Mentía. Él sabía que lo notábamos, pero le daba igual.

—Lo busca su mujer —le dije.

—Pues pobre de ella.

—¿Por qué?

—Si tú anduvieras buscando a tu marido por aquí, ¿qué te parecería?

Aproveché lo que, dada la longitud de la frase, parecía un momento de locuacidad.

—Cuando venía, ¿con qué frecuencia lo hacía?

—Tú quieres saber mucho, paya.

—Venga, que es la última —regateé.

—Una vez por semana. Y ahora os vais.

Así lo hicimos. Los mismos adolescentes nos esperaban a la entrada del poblado. Tras nuestro paso cerraron el pasillo. En silencio. Sólo se oían las voces de tres niños que jugaban a las canicas acuclillados.

Me puse las gafas y los miré. Ellos, ensimismados en el juego, habían permanecido ajenos a toda la situación. Uno de los niños, un rubiales de brazos escuálidos, tenía un montoncito de canicas entre los pies. Eran de diferentes tamaños. ¿Cuáles serían las buenas, las que todos querían ganar? Cuando yo era pequeña eran las monocromas, sobre todo las azules. Las del niño eran de muchos colores y relucían al sol del mediodía. Entre ellas me pareció ver una diferente, una semiesfera muy grande, con un brillo distinto al resto, que me obligó a dar un paso hacia los chavales. Rodrigo me siguió. Al percibir nuestra proximidad, los niños interrumpieron el juego. Me dirigí al rubio y señalé la canica gigante.

—Enséñame esa canica, niño.

—No es una canica, es un cuenquito.

El chaval lo aprisionó en la mano, pero los otros dos que estaban jugando con él me miraron a la cara y le dieron sendos codazos que lo obligaron a abrirla y entregármela.

Era un ojo de cristal. De color avellana.

18

ACUÉRDATE DE *TERMINATOR 2*

No hablamos hasta haber arrancado el coche. Mientras nos habíamos alejado del poblado había sentido el ojo de cristal en la mano, asombrándome de su dureza y de cómo tomaba la temperatura de mi piel. En el primer semáforo en rojo abrí por fin la mano, levanté la palma y la acerqué a Rodrigo.

—Tenemos que llamar a la policía —dijo él. O tal vez yo, o quizá ambos a la vez.

La sospecha de que Sotelo pudiera haber sido víctima de un crimen era demasiado patente y el caso quedaba fuera del ámbito que puede investigar un detective privado. A partir de ese momento, teníamos que pasarle el caso a la policía.

Me puse en contacto con Ramón Ferret, el jefe de Víctor.

—Voy contigo —dijo Rodrigo.

Ferret nos recibió en su despacho. En los pasillos, nos habíamos cruzado con algunos antiguos compañeros de Víctor. Caminé con rapidez, seguida por Rodrigo, y fingí no reparar en la sorpresa, rayana en el sobresalto, que mostraban algunos de los policías. Los saludé sin detenerme. No tenía ganas de escuchar pésames o palabras apuradas de cortesía.

Rodrigo y yo nos sentamos ante el escritorio de Ferret. Le conté cómo había llegado el caso a la agencia.

—Es difícil precisar desde qué día exacto está desaparecido el abogado Federico Sotelo porque, por lo que ha contado su secretaria, de vez en cuando se esfumaba unos días sin que ni ella misma, que para más señas es su amante, supiera por dónde andaba.

—¿Cuándo lo echaron de menos?

—Cuando no acudió a probarse el nuevo ojo de cristal. Hay que cambiarlo con cierta regularidad y era una cita muy importante.

Le conté nuestra excursión al poblado y cómo habíamos encontrado el ojo de cristal.

—¿Seguro que es el suyo?

—Habrá que preguntárselo al ocularista, a Gasull, pero no creo que la gente vaya perdiendo ojos de cristal en los poblados de la periferia.

Ramón asintió.

—Sí, sería demasiada casualidad.

Ferret me miraba con intensidad. Rodrigo parecía haberse esfumado durante la conversación. Los ojos de Ramón irradiaban algo que no conseguía descifrar, me escrutaban pero a la vez me hacían sentir reconocida. Por primera vez desde que había iniciado mi búsqueda sentía la necesidad y la posibilidad de ayuda. Noté lo sola que estaba en mi empeño y cuánto ansiaba poder apoyar, aunque sólo fuera unos segundos, la cabeza en un hombro amigo. Me encontraba a pocos pasos de la solución y confiaba en lograr su ayuda.

—Hay más, Ramón. Creo que este asunto tiene que ver con la muerte de Víctor.

Tardó en reaccionar y lo único que logró articular fue un «¿cómo?» tartamudeado.

Rodrigo se removió en la silla, pero lo ignoré.

Le expliqué la conclusión a la que había llegado en la clínica. Le hablé de los cinco casos que tenía que resolver, de que dos ya me habían mostrado qué sucedía.

—Pero, Irene...

Intentó dos veces interrumpirme, pero no lo dejé. Tenía que contarle el resto. Después de todas esas semanas de secreto, encontraba por fin un interlocutor. Las palabras brotaban con facilidad al hilo lógico de mis últimos descubrimientos.

—Todo empezó con el primer caso que investigué, el seguimiento del hijo de un mayorista de tejidos que anda metido en asuntos de droga. Se la suministra un camello llamado Roque Reina.

—¿Roque Reina? ¿El de los pornos?

—Veo que también lo conoces. —Ya me lo había dicho Valentín Juárez, pero no le revelé a su jefe que me había ayudado.

—Claro. Andamos tras él desde hace tiempo.

—Entonces era un caso también de Víctor.

Ferret concedió con su silencio. Después me habló en un tono distanciado, profesional.

—¿No crees que es cosa nuestra?

—También es cosa mía, Ramón.

—Irene, no hay un solo compañero que no esté echando horas para averiguar quién mató a Víctor.

—¿Y qué tenéis?

—Sabes que no te lo puedo decir.

—Pero tenéis más bien poco. ¿No es así?

—Sí. Así es.

—Entonces, déjame que te cuente lo que tengo.

Le expliqué, sin darle el nombre de mi fuente, por supuesto, que había averiguado que Peyró padre sacaba regularmente sumas importantes de dinero, que eso olía a chantaje, que existía una vinculación entre esas sumas y las cuentas negras de los papelitos de Sotelo.

—Y ahora el asunto empieza a perfilarse, Ramón. Creo que Sotelo siguió alguna vez el consejo de su secretaria y cambió de proveedor. En lugar de comprar la droga al otro lado del río Besós, decidió hacerlo al sur del Llobregat, en Castelldefels. Allí coincidiría con Peyró hijo en alguna de las fiestas con drogas y putas en la casa de Roque Reina. Algo pasó alguna vez lo bastante fuerte para costarle al padre pagar un chantaje mensual a Sotelo...

Me di cuenta, de repente, de que me estaba dejando hablar por no contradecirme.

—No me crees —le dije en tono herido.

—Es que lo que cuentas no tiene ni pies ni cabeza.

—¿Cómo que no? ¿Y qué hay de la teoría de los seis grados de separación? ¿Me vas a decir que no tiene ni pies ni cabeza? ¿Qué sabes tú lo que tiene pies y cabeza? ¿Qué sabes tú de nada? ¿Qué sabes tú de quién mató a Víctor y a Alicia? En todos estos meses, ¡nada! Absolutamente nada.

Me levanté y me encaré a Ferret.

¿Han visto ustedes la película *Terminator 2*? ¿Recuerdan a Sarah Connor? Es la única persona que sabe la verdad sobre lo que se avecina, sobre la llegada al poder de las máquinas y la aniquilación de los seres humanos, y está ingresada en un psiquiátrico. Más sombrío que aquel del que había salido yo, hay que decir, pero psiquiátrico a fin de cuentas. Para poder salir en libertad, ella finge haberse curado y aceptar que sus afirmaciones apocalípticas sobre el futuro son sólo fruto de su locura, de una paranoia; pero la magnitud, el peso del mensaje que tiene que transmitir es tan enorme que revienta todos los diques y se delata. Al final quien tiene que sacarla de allí es Terminator en persona. En su caso, una pérdida de control es comprensible, a fin de cuentas se trata de salvar a la humanidad completa. En el mío no estaba en juego salvar a nadie, ni siquiera a mí misma. Se trataba de resolver un caso. Mi caso. Y casi lo estaba echando a perder al contarlo a quien no estaba preparado para saberlo.

Rodrigo me agarró por los hombros y me sacó del despacho. Al salir al pasillo, percibí las cabezas de algunos policías que asomaban con curiosidad por las puertas de los despachos. Borrosas. Durante esa visita había perdido por lo menos otra dioptría.

—No te preocupes, Irene, por mí nadie sabrá nada —me dijo Rodrigo cuando llegamos a la calle.

—Tú tampoco me crees, ¿no?

—Cada uno tiene sus cosas. Yo las mías, tú las tuyas. ¿Quieres que te lleve a algún lado?

Le pedí que me dejara en la consulta del oculista cerca de Detectives Marín. Mi impresión no había sido errónea. Había perdido dos dioptrías. Eran ya diecisiete en total.

19

LA SOMBRA

Esa noche me desperté a las cuatro y no pude volver a conciliar el sueño. Las cuatro es la peor hora, la que ni es noche ni es madrugada. Me levanté y me senté a oscuras en el comedor a esperar la hora de ir a trabajar. No encendí las luces ni el televisor, no quería perturbar el sueño de Marifló. Esa niña tenía que dormir.

A la hora correspondiente, me duché como siempre. Marifló me dejó la ropa a punto y preparó el café. Era una presencia casi invisible, apenas hacía ruido. Mientras estaba sola en casa leía tebeos que le había traído Rodrigo, dibujaba, veía la televisión y dormía. Tenía mucho sueño atrasado.

También, como había dicho, lloraba por Alicia.

Cuando ya había acumulado dieciséis horas de carencia de sueño, decidí recurrir al cansancio para recuperarlo. No, pastillas no quería tomar. Gracias. No quería mermar mis facultades mentales, por eso opté por fatigarme físicamente. Empecé yendo a la agencia a pie. Una hora y media de camino.

Salí, pues, de casa algo antes de las siete.

Sería la hora en punto cuando lo noté. Había una presencia, alguien que seguía mis pasos. No es que viera a nadie y me voy a guardar bien de apelar a un sexto sentido. No creo en estas cosas, pero sí en mi experiencia de perseguidora. Por más hábil que sea el observador, siempre hay algo que lo delata. El objeto de su observación tal vez no sea consciente de ello, pero lo nota. Puede ser la desazón de tener una segunda sombra o de distinguir entre la multitud el eco de unos pasos imitando los nuestros. Porque el perseguidor acaba mimetizándose y eso lo traiciona, no lo puede evitar, sería como cambiarle los genes a un camaleón.

El último viernes de mayo, hacia las siete, estaba ahí, una sorda molestia en la espalda que no podía apartar juntando los omoplatos o relajando la nuca. Hice entonces lo que cualquier profesional haría, cambié sutilmente mi recorrido, me detuve a mirar escaparates buscando reflejos que mostraran a alguien ralentizando el paso, compré el periódico en un quiosco que me ofrecía la posibilidad de observar la acera de enfrente, lo dejé caer, lo recogí y cambié después la dirección de mis pasos.

Justo empezaba a pensar que esa sensación podría haber sido fruto de la sobreexcitación nerviosa debida al cansancio, cuando lo vi. Un relámpago oscuro, la sombra de un cuerpo que desaparecía en un portal en el momento en el que me volvía. Nada más. Pero era suficiente. Aun así, decidí dudar de mi percepción y no encararme con la sombra. ¿Por qué? Asumo que no les parezca una reacción muy lógica. Entiéndanme bien, no dudaba ni de mi capacidad de juicio, ni de mis dotes de análisis, dudaba de lo que veía. Por la miopía. Ustedes, sobre todo los miopes, dirán que una sombra, un movimiento no deja de apreciarse aunque se tengan los ojos fatalmente desenfocados. Les tengo que dar la razón. Pero también es cierto que, en los casos de pérdida de visión, las percepciones poco claras son corregidas por el cerebro y éste no siempre acierta. Una sombra que pasa crujiendo levemente a nuestro lado, donde el campo visual está aún más restringido, se puede convertir en un perrito porque el cerebro interpreta mal los datos y extrae la imagen errónea del archivo. Era una hoja seca y no un perrito. Por esta razón, y dado que me faltaban muchas horas de sueño, preferí comprobar la existencia de esa sombra.

Para no dar tiempo a las dudas a iniciar su labor de corrosión, decidí ignorarlas. Caminé unos metros sin prisas por si mi supuesto perseguidor hubiera notado algo; en caso de que existiera, tenía que evitar que se sintiera descubierto y se volviera demasiado precavido. Durante tres manzanas me convertí en una inocente paseante, en la siguiente pasé a ser una mujer llamando por teléfono, delante de una cafetería era una persona que hablaba en la puerta antes de entrar.

Ahí pasó. Mientras tiraba de la puerta en el papel de la mujer que se toma un café antes de ir a trabajar, vi a alguien reflejado en el cristal. Distinguí el movimiento de unos tejanos, la camisa oscura, la cara que se volvía hacia mí. Las irregularidades del cristal me impidieron distinguir sus rasgos. No debía volverme para mirar, eso me hubiera quitado la ventaja de saberme seguida sin que mi sombra lo supiera.

Claro que si me hubiera vuelto, si le hubiera visto la cara, entonces todavía estaría viva. Pero si les soy sincera, eso me da absolutamente igual.

20

EL CUARTO

Cuando llegué poco después a la oficina, Sarita me dijo que el jefe ya se había encargado de comunicarle al ocularista que el caso pasaba a manos de la policía. Como no les había hablado de Sandra, la secretaria del abogado, y mucho menos de los papelitos con sus cuentas, tuve que llamarla yo para darle la mala noticia. De viuda a viuda.

No me han quedado recuerdos de esa llamada. A partir del instante en que ella descolgó al otro lado de la línea, hay un agujero negro que se cierra dos horas después de la conversación telefónica con la entrada de Sarita en mi despacho. Debió de asustarla la especie de trance en que me encontraba porque me preguntó si quería comer algo, que es como los espíritus maternales se enfrentan a determinados problemas. Por eso, unos minutos más tarde, estábamos en el bar en el que Marín riega con cafetitos sus raíces de barrio.

Ahí lo encontramos justamente y nos invitó a compartir con él la zona de la barra donde el «reservado camareros» le guardaba siempre el sitio.

Me felicitó efusivamente por mi actuación en el caso del ojo de cristal, se lo contó debidamente reescrito a Pepe, el dueño del bar, lo que acrecentó a ojos vista la figura del detective Marín. Guardo en blanco y negro este momento en la memoria, con Marín permutado por un mundano Nick Charles del Poble Sec, el cortado convertido en un Dry Martini y la musiquita de las tragaperras en un piano de sonido satinado.

Marín pagó nuestra consumición y se despidió del camarero en un tono campechano.

Capté de reojo la leve ironía en los ojos de Sarita; una ironía benevolente, la mirada con la que nos observa a todos desde la mesa de la recepción.

—¿Cuánto llevas en la agencia? —le pregunté.

—Toda mi vida laboral. Entré cuando la fundaron. En 1984 —me contó.

Una mañana del apocalíptico 1984 Sarita Picó salió de la casa de la calle Julià en la que vivía con sus padres. Ellos se habían mudado allí en los años sesenta desde Onteniente. La hija la abandonaba cada mañana a la misma hora para asistir a clases de formación profesional en una academia del barrio. Le faltaba una semana para cumplir los veinte años y ese día tomó otro camino porque así evitaba pasar por unas obras. Tomó la calle Poeta Cabanyes. Ese cambio en su rutina hizo que, en lugar de andar perdida en sus pensamientos con la vista al frente, prestara un poco más de atención a la calle y descubriera el rótulo que Miguel Marín y Lola Morera, o sea Nick y Nora, habían pegado hacía una media hora escasa en el cristal de la puerta del edificio.

«Se busca secretaria-recepcionista. Razón: Detectives Marín & Morera, 1.° 1ª. También sin experiencia.»

—Subí, me entrevistaron y me dieron el puesto. Les pregunté si estaban seguros, si no querían hablar con otras posibles candidatas, puesto que yo era la primera que se había presentado. Me dijeron que para qué, si ya me habían encontrado a mí. Hubiera sido más bien estúpido que yo insistiera en ese punto y, no lo voy a negar, en mi caso también fue amor a primera vista.

Esa chica seria, con un sentido común rural que los años en Barcelona no habían conseguido menguar, se convirtió en la secretaria de Detectives Marín & Morera, en su voz y en su letra. Veinticinco años más tarde, seguía ahí. Y vivía en la casa de la calle Julià de la que había salido el día que entró en la agencia. Sus padres ya habían muerto, pero ella conservaba el sentido común.

Cuando en 1998 el nombre Morera desapareció del cartel, Sarita, a pesar de lo mucho que apreciaba a Lola

Morera, se quedó en su sitio, en su antesala con su mesa, su silla, su vista a la calle y la puerta a la espalda que conducía al despacho del jefe. Sarita era más gato que perro. No tenía dueño, tenía casa.

—Y aquí espero seguir —dijo apurando el café con leche—. Aquí seguiremos todos.

—Entiendo. Quieres decir que adónde podríamos ir si no.

—Algo así.

Repasando la nómina de Detectives Marín teníamos a una ex pandillera que era como un campo minado, un arcángel medio autista, un justiciero a tiempo parcial, una viuda salida del psiquiátrico y una mujer varada en el barrio de toda su vida, anclada en él como la palmera que teníamos en el patio de la casa donde estaba la agencia. Todos algo tarados.

En el fondo, todo el mundo está tarado, la diferencia era que los que trabajábamos para Marín éramos conscientes de nuestra tara y por eso estábamos dispuestos a partirnos la cara por el trabajo que él nos daba.

—Marín es muy listo, Irene —añadió Sarita, como si supiera lo que estaba pensando—, es de barrio. Ha conseguido salir de aquí, pero se ha criado en el Poble Sec, a dos pasos del Paralelo. No es sólo la mejor escuela, sino que, además, ha conseguido licenciarse y largarse a vivir a otro lado.

Una vez aclarado todo esto, regresamos a la agencia.

Media hora más tarde, Rodrigo se marchó para continuar con un seguimiento, un prematrimonial encargado por los padres del novio. Me quedé en el despacho y esperé el nuevo caso.

Después del desliz en la comisaría ante Ferret, sabía que seguía sola en el asunto. Si sentía vergüenza, preguntan ustedes. Un poco. Por mi ingenuidad, por mi momento de debilidad. Me costaba perdonármelo y el recuerdo de la cara apenada de Ferret no me ayudaba en ese trance. ¿Saben lo que creo? Que le di lástima. No lo soporto.

La impaciencia por conocer mi nuevo caso me corroía.

—Te ves fatigada, Irene. ¿Por qué no te tomas un par de días libres? —me había dicho el jefe cuando entré en la agencia después del café.

¿Para qué? Hubiera sido como una semana con varios sábados y, lo que es peor, varios domingos. Los regulares ya sabía cómo tratarlos, pero no estaba preparada para cubrir las horas de un fin de semana adicional.

—No necesito días libres —le respondí a Marín—. Necesito trabajar.

Estaba cerca de algo y tenía que seguir con otro caso para no perder la pista.

—Está bien, Irene. Entonces ven a mi despacho. Tengo algo que puede ser para ti.

Por fin.

El encargado de una hamburguesería nos pedía que investigáramos si uno de sus empleados, de baja desde hacía cuatro días, estaba realmente enfermo. La verdad es que no me imaginaba cómo me podía ayudar un caso de control de absentismo laboral, pero eso era lo que había.

Cogí la carpeta con las informaciones y les eché un primer vistazo. El empleado al que teníamos que observar se llamaba Kono Berger.

Kono Berger. ¿Qué nombre era ése? Había nacido en Palma de Mallorca hacía treinta y dos años. El hijo de algún alemán de esos que se compran la finca en la isla, pensé. Pero la foto del tal Berger mostraba a un hombre de rasgos más bien exóticos. Lo acompañaba una fotocopia del certificado de baja.

—El dueño de la hamburguesería cree que, o bien Berger finge muy bien, o ha falsificado el documento. Todo el mundo tiene un amigo médico.

—¿Y esas sospechas?

—Dice que desde hace un tiempo está cambiado, poco concentrado en el trabajo, que se confunde con los pedidos. Teme que ande metido en algún lío y no quiere que su local pueda verse perjudicado por alguna historia turbia de un empleado.

Por mi boca habló la voz de la experiencia:

—O sea que busca una excusa para echarlo.

—No es nuestro asunto juzgar las razones de nuestros clientes. Mientras sean legales, nosotros trabajamos. En nuestra profesión todos son sospechosos hasta que demuestren lo contrario. O lo demostremos nosotros.

Me llevé los papeles al despacho y estudié lo poco que había que estudiar. Lo más importante, la cara.

Anoté la dirección. Berger vivía en Gràcia.

Tres cuartos de hora después estaba allí. En una esquina, al lado de construcciones anodinas que habían sustituido la arquitectura original, se alzaba una casa que todavía recordaba que ese barrio había sido un pueblo. Una planta baja y un primer piso con balcón. Ahí vivía Kono Berger. Di un par de vueltas con el coche hasta que encontré un lugar en el que pudiera aparcar y controlar la puerta de Berger.

En el portal contiguo vi a dos hombres aferrados a sendos tetrabriks de vino. Todavía hablaban con cierta coherencia y no demasiado alto, pero no sabía cuánto tiempo tendría que permanecer allí y la voz rasposa de uno de ellos me pareció muy molesta. Me acerqué sin prisas a ellos. Uno me vio enseguida y le dio un codazo a su compañero. Olían muy mal. Eso me daba igual desde el coche, pero las voces me estorbaban.

—¿Tienes un par de eurillos? Te juro que no nos lo vamos a gastar en vino —dijo uno.

—Ni en mujeres —añadió el de la voz irritante.

En su estado y con el mal humor que cada sílaba que salía de esa boca me causaba, podría haberlos echado con violencia, pero no quería llamar la atención. Saqué un billete de veinte euros.

—Es vuestro si os largáis ahora mismo de aquí.

El de la voz molesta iba a hacer algún chiste, pero su compañero le dio otro codazo. Levantó la vista y me miró con expresión asustada.

—Lo que usted diga.

Aguardé de pie a que recogieran sus cosas, les di el dinero y los vi desaparecer calle abajo.

Volví al coche y me preparé para una larga vigilancia. Al salir de la agencia había recogido mis nuevas lentillas. Dieciocho. El proceso se aceleraba.

Una hora, dos horas, tres horas observando la casa de Kono Berger. En las que comprendí que había cometido un error de principiante.

21

URGENCIAS

Una hora, dos horas, tres horas. Las pasé metida en el coche, dándole vueltas a lo que tenía hasta el momento. Sabía que Sotelo chantajeaba a Peyró por algo sucedido en casa de Roque Reina, que era probable que Sotelo estuviera muerto, seguramente por obra o encargo de Peyró, pero ¿por qué le había costado la vida a mi familia? Pensé primero que tal vez, durante una de sus investigaciones, Víctor podría haber descubierto el chantaje a Peyró, pero eso hubiera supuesto que Sotelo tuvo que ver con su muerte. El abogado podría haber sido un cocainómano estafador, pero no tenía el perfil de un asesino. Y ahora estaba muerto. Víctor tenía que haber descubierto algo mucho más grave, una parte de esa historia que todavía no había salido a la luz. Kono Berger era el cuarto caso, el caso que me daría la clave.

Una hora, dos horas, tres horas. En la primera comprendí que había cometido el error de principiante. En la segunda empecé a notar las primeras señales de mi error. Una presión en la vejiga que sabía que no haría otra cosa más que ir en aumento. En la inspección ocular del entorno no había previsto esa eventualidad.

—Estás todavía algo oxidada, Irene.

La tercera hora de observación consistió en mantener la vista fija e intentar no sentir la urgencia que empezaba a ser dolorosa.

El premio a mi constancia llegó cuando estaba a punto de claudicar y salir corriendo en busca de unos lavabos. Kono Berger salía de casa. Sobre un cuerpo voluminoso reconocí la cara que había estudiado esa mañana. Pero... ¿O tal vez los ojos cansados de mirar con fijeza esa puerta me estaban jugando una mala pasada? Pero la cara se veía tumefacta, hinchada alrededor de la boca, violácea en las sienes.

Ajusté el objetivo de la cámara, pero Berger se alejó en dirección contraria al lugar desde donde lo vigilaba y no pude cazarle el rostro. En cuanto llegó a la siguiente esquina, calculé que la distancia era suficiente y salí del coche. Un movimiento fatal. Apenas pude dar unos pasos. Estaba a punto de orinarme encima. Olvidé a Berger y volví los ojos de nuevo hacia su puerta. El lavabo que se pudiera encontrar detrás me interesaba en ese momento mucho más que él. Dando pasos ridículos, como si caminara sobre la nieve, me acerqué a ella. Se veía muy deteriorada, como la de una casa abandonada. Busqué el timbre. Tardé en encontrarlo. ¡Mierda de vista! Los años lo habían mimetizado con la pared. Pero sólo había uno, eso era bueno. También un único nombre en el buzón. Kono Berger. Toqué de todos modos. Esperé tal vez diez segundos, no más. Fingí el movimiento de abrir la puerta al forzar la cerradura. La cerré a mi espalda y empecé a buscar. La tercera habitación era la que necesitaba.

Sólo un minuto más tarde estaba inspeccionando la casa. Había perdido a Berger, pero no iba a perder el tiempo.

Regresé al recibidor. Dos cómodas de caoba estaban colocadas de forma simétrica a ambos lados de la puerta que conducía al pasillo. Sobre las cómodas, dos reproducciones de fotografías. A la izquierda, de medio cuerpo, un hombre de rasgos tal vez polinesios lucía bigote, barba, unas largas patillas decimonónicas y un uniforme cargado de medallas y charreteras. Una placa plateada desvelaba su identidad: THE MERRY MONACH KING KALAKAUA. La foto de la derecha mostraba a una mujer de piel oscura, vestida con ropas de gala europeas del siglo XIX, un vestido de raso adornado con filigranas de puntilla, metros de cola cubriendo el suelo. Los brazos desnudos, gruesos y cargados de pulseras. Con el antebrazo apoyado en el respaldo de una silla tapizada y una banda cruzándole el pecho, la princesa Lili'Uokalani, posaba ante el fotógrafo.

Las habitaciones de la casa eran muchas y pequeñas, de función difícil de definir aparte de albergar muchos muebles antiguos, mesitas, sillones, más cómodas, secreteres, vitrinas y muchos cuadros. Cada una tenía las paredes empapeladas en un color diferente en tonos suaves y dibujos monocromos anticuados que se repetían en toda la superficie: columnas rodeadas por una hiedra, en la habitación azul, la primera a la derecha; ramos indefinidos cargados de bayas también difíciles de identificar en la amarilla a la derecha. En el piso de arriba, un dormitorio dominado por una cama con dosel y un estudio. Sobre la mesa, un viejo teléfono negro. Levanté el auricular. Funcionaba. Al lado del teléfono, un bloc de notas de un hotel de Viena me llamó la atención. Hotel Kaiserin Elisabeth. Allí estaba anotado «Club Nomi» y las fechas de ese día y el siguiente. Bajé otra vez. La escalera estaba jalonada de retratos de señoras y señores decimonónicos, entre ellos reconocí al emperador Franz Joseph y a la inefable Sissi. ¿Era ésta la casa de un vendedor de hamburguesas?

En realidad, a mucha gente le gusta imaginarse que detrás de la persona que despacha hamburguesas ataviada con alguna ridícula gorrita se tiene que encontrar a un futuro escritor de culto, la aspirante a actriz que después evocará esos duros principios en las entrevistas cuando sea famosa, tal vez la estudiante de Derecho que llegará a ministra o un embrión de arquitecto internacional pagándose los estudios. Resulta consoladora esa imagen romántica que hace menos deprimentes unas existencias dedicadas a preguntar con incansable cantinela: «¿Ketchup o mayonesa?». Estoy segura de que ustedes también han caído alguna vez en esa fantasía. No se engañen, detrás de un vendedor de hamburguesas suele haber un vendedor de hamburguesas.

Pero, créanme, Kono Berger no podía serlo. Ese delirio Biedermeier de cómodas, mesitas y secreteres escupiría cualquier gota de ketchup que cruzara el umbral de la puerta.

Una puerta que se iba a abrir en cuestión de segundos. El sonido de la cerradura me anunciaba que Berger regresaba a casa.

Tuve el tiempo justo para meterme en una de las habitaciones del pasillo, la que estaba empapelada en azul. Por suerte no escogí la otra, la del papel rojo, en la que Berger entró para quitarse la chaqueta y los zapatos. Me quedé pegada a la pared, observada con cara de circunstancias por la imagen de un hombre en un uniforme blanco cargado de medallas; debajo de la gorra, un rostro alargado por el bigote que le caía hasta tocar la barbilla.

Berger pasó por delante de la habitación. Desde la ranura entre la puerta y el marco pude observar su cara. No me había imaginado los hematomas ni las hinchazones: alguien había apaleado a ese hombre.

Tenía que salir de la casa. Saqué el móvil del bolsillo. Marqué el número que recordaba del dossier de Berger. Esperé un segundo conteniendo la respiración. Por fin sonó. Y para mi alivio lo hizo arriba, donde había visto el viejo aparato. Escuché los pasos de Berger subiendo la escalera.

Salí del cuarto, abrí la puerta de la casa con sigilo y salí a la calle. La voz de Berger sonaba lejana en el móvil y, a la vez, en directo en mi oído libre. Cuando dejé de escuchar la segunda, estaba en un lugar seguro. Colgué entonces, pero su voz siguió sonando en mi cabeza. «¿Diga? ¿Señor Solís, es usted? *Mr. Westlake, are you there?*» El señor Solís era el encargado de la hamburguesería, pero ¿quién era ese Mr. Westlake?

Una vez ante el volante del coche, sentí de pronto un hambre atroz. Eran más de las cuatro y todavía no había comido nada. Tenía hambre y no quería esperar, tenía que comer ya, de inmediato. Paré el coche delante de una cafetería de las que venden sándwiches empaquetados en plástico fácil de abrir. Entré casi corriendo. Cogí uno sin mirar de qué era. Lo pagué mientras le quitaba el envoltorio y le di el primer bocado recogiendo el cambio. No llegué a sentarme. Regresé al mostrador, cogí otro, que según la etiqueta era de pavo con lechuga, lo puse en la bandeja que la camarera había dejado en vano sobre el mostrador y puse también encima un botellín de agua y un yogur. Pedí un café y me senté a una mesa. Alguien había abandonado un periódico. Lo cogí.

Ante la atenta mirada de la camarera, mordisqueé el sándwich, dispuesta a no repetir el espectáculo anterior. Mi público unipersonal se aburrió pronto y dedicó su atención a la gente que pasaba por la calle.

Abrí el periódico y, recordando la nota que había visto en casa de Berger, busqué el Club Nomi. Aunque bien pensado me tendría que dar lo mismo, decidí buscar primero en espectáculos y no en la sección de relax. ¿Por qué?, preguntan ustedes. Pues porque sinceramente me apetecía más buscar a alguien en un teatro o un local de música que en un burdel.

Abrí, entonces, el periódico por la página de la cartelera y espectáculos, pero antes de que llegara a encontrar el nombre del club, otras letras se abalanzaron sobre mis ojos como arañas que hubieran estado agazapadas entre las hojas. «Queen Lili'Uokalani.» Esa noche actuaba Queen Lili'Uokalani.

Arranqué el anuncio. Vi entonces lo pequeño que era, apenas unos centímetros de texto en un mar de anuncios similares. Pero me había salido al encuentro, se había lanzado sobre mí, me había buscado para decirme que esa noche la princesa que había visto en el recibidor de Kono Berger se iba a convertir en reina. Y que lo más probable era que Berger lo hiciera también.

22

KAM FONG COMO CHIN HO

—Félix, ¿nos quedan tarjetas de visita de las que me hiciste para el caso de Rovira?

La mirada se le iluminó.

—Creo que sí, te las busco.

—Sólo necesitaré dos o tres.

Me dejó un par de tarjetas sobre la mesa y se quedó de pie esperando nuevas instrucciones.

—Es todo. Gracias.

No se movió.

—Ya está, Félix. Gracias.

Con el recorte del periódico sobre la mesa, empecé a buscar el nombre de Lili'Uokalani en internet. La última reina de Hawái había abdicado en 1895. Hawái.

En mi cabeza empezó a sonar la sintonía de una vieja serie policíaca de televisión, *Hawai 5-0*. La acompañaron de inmediato las primeras imágenes, olas gigantescas, playas. La cámara se acercaba en un rápido movimiento a un rascacielos; en el piso más alto, la figura de un hombre de pelo oscuro. Cuando la cámara llega a su altura, el hombre se vuelve y esboza la media sonrisa que se puede permitir alguien que se llama Jack Lord. Más imágenes. Agua, playas, gente exótica y hermosa. Aviones, ¿turbinas? Sí, lo recordaba perfectamente, turbinas. En algún momento, la cintura de una bailarina de hula. Y después de la luz azul de un coche de policía, los otros protagonistas. Recordaba todos los nombres, James MacArthur, con unos enormes ojos azules, Zulu en el papel de Kono y enseguida me vino a la mente algo que me producía una gran hilaridad, Kam Fong como Chin Ho. Recordé que no pasó una sola ocasión en la que no le hiciera el mismo comentario a mi hermana menor, que miraba la serie conmigo. «¿Para qué le cambian el nombre, por qué Kam Fong no hace de Kam Fong? Si suena igual de gracioso». Aunque nadie le encontrara el chiste, lo repetía cada vez.

Mientras me daba cuenta de que me seguía pareciendo gracioso y que tal vez eso sólo me pasaba a mí, caí en que el nombre Kono era pues un nombre hawaiano.

Félix seguía ahí.

—¿No tienes nada que hacer?

Compuso un gesto de dolor como si le acabara de

dar una bofetada, se dio media vuelta y se marchó. Considérenme cruel, si quieren, pero no tenía tiempo para él.

Leí un poco más sobre Hawái, contemplé las fotos de la reina, también las del rey Kalakaua y los retratos de otros reyes y príncipes.

Cuando salí de la agencia para ir a casa a cambiarme, Félix ya se había marchado. Mejor, pensé, no necesitaba un ayudante para esa noche.

El Club Nomi estaba en la calle Cardener, una de esas calles de Barcelona que más que encontrarse están encondidas. La calle adecuada al club, porque decir que «Nomi» era un local de aspecto semiclandestino sería en cierto modo mentir. Nomi no tenía aspecto de local. No tenía aspecto de nada. Se accedía a él por una puerta sin adornos, sólo una placa metálica que a primera vista parecía anunciar un consultorio médico, en el que, si una se acercaba, podía leer CLUB NOMI. TRANSFORMACIONES ARTÍSTICAS. Pero al cruzar esa entrada anodina me encontré transportada a un cabaré berlinés de los años veinte. Pequeñas mesas redondas con lamparitas, cortinas de raso, humo y un escenario pequeño enmarcado por pesadas cortinas de terciopelo.

Un chico vestido de frac sin mangas me recibió y me buscó acomodo en una de las pocas mesitas libres. A pesar de la poca luz, se podía distinguir las caras del público. No veía a Berger por ninguna parte. Pedí lo mismo que tomaban en la mesa de al lado para no tener que pensar y me quedé esperando a que apareciera la reina. Antes pasaron por el pequeño escenario todos los iconos del travestismo. Anulé la ansiedad por ver a la reina concentrándome en sus movimientos y puntuando las actuaciones. Lola, 7; Barbra, 5, aprobado justito; Marlene, 8; Alaska, 3 por la interpretación, pero 10 por medir más de un metro ochenta y conseguir parecer un tapón como el original. La Celia Cruz mereció un notable alto, 8,5. Aretha me pilló en los lavabos, desde donde escuché las voces del público gritando «Respect».

La reina era, por lo visto, el momento culminante de la noche. Cada vez estaba más segura de que también lo sería para mí.

Cuando Liza se marchó con el bombín en una mano y arrastrando una silla de madera con la otra, había llegado el momento de saber si mi conjetura era cierta.

No hubo presentación, pero un murmullo inquieto llenó el espacio. Los primeros acordes de la música lo acallaron y entonces apareció ella, la reina. Lili'Uokalani. Con el mismo vestido que había visto en la foto en el recibidor de Berger. Y con Berger dentro del vestido.

Un silencio reverencial se impuso en cuanto empezó a cantar. Con una voz profunda que hubiera resultado ridícula saliendo de ese vestido si no hubiera sido por la dignidad y la convicción con la que entonaba la melodía de un vals en una lengua para mí inidentificable. Al terminar, el público aplaudió con intensidad. Berger aprovechó ese marco sonoro para saludar con una majestuosa inclinación de la cabeza y, acto seguido, arrancarse de un tirón el vestido decimonónico. Quedó ante nosotros con una malla ceñida que imitaba la piel desnuda, con las anchas caderas cubiertas por una falda roja de fibra vegetal, los falsos pechos tapados con un sujetador del mismo material. Alguien salió corriendo por la izquierda entre las sombras del escenario y le puso un collar de flores en el cuello. Otra persona apareció por la derecha y le colocó una corona de las mismas flores en la cabeza. Jaleado por el público que antes lo había escuchado con reverencia, empezó a bailar una danza polinesia contoneándose y haciendo ondular los brazos como algas mecidas por el agua.

Mientras el público aplaudía y celebraba cada golpe de cadera, me concentré en la cara de Berger. Había conseguido ocultar los hematomas con maquillaje, no tanto las hinchazones.

Con las piernas separadas, Berger agitaba las caderas al compás del ritmo creciente de la música hasta que ese movimiento se convirtió en una vibración frenética y, dando pasos cortos y contundentes hacia atrás, abandonó lentamente el escenario. La luz se apagó provocando un aplauso unánime y los gritos del público. Regresó entonces al escenario y saludó. Estaba emocionado, un reguero de máscara de ojos le cruzaba el maquillaje. Una última, mayestática reverencia y se marchó.

Su actuación fue la última de la noche. Me quedé de todos modos sentada a mi mesa apurando la bebida, la tercera o cuarta que había pedido, y esperé suponiendo que el artista saldría a recibir los halagos, como habían hecho los anteriores.

Apareció al poco rato. Se había cambiado de ropa y otro maquillaje ocultaba las señales de los golpes. Noté por su forma de moverse y de saludar a la gente que no iba a quedarse mucho tiempo. Pensé primero en seguirlo, pero decidí finalmente que sería mejor quedarme en el local y preguntar un poco.

El recuerdo de los aplausos por la actuación de Berger aún estaba en el aire, prendido de los densos cortinajes, disuelto en las copas que tomaba la gente, y con toda seguridad clavado como un aguijón venenoso en el orgullo de alguno de los otros artistas. Repasé mentalmente las actuaciones. ¿A quién habría lacerado con más crueldad el éxito de la reina? ¿Quién podría ser la reina destronada?

Me debatía entre Barbra Streisand y Liza Minnelli.

Busqué a los artistas entre el público. Barbra ya se había desmaquillado y charlaba en un corro alrededor de una de las mesitas. La nariz prominente era todo lo que le quedaba de su personaje. En otra mesa reconocí al que había sido Celia Cruz fumando, también sin restos de pintura. En cambio, de pie al lado de la barra con un par de admiradores, Liza seguía con la cara blanca, los labios rojísimos, la peca pintada y los ojos enmarcados por unas pestañas inmensas. Cada parpadeo era una llamada al aplauso, con cada caída de ojos apuraba su personaje todavía sediento de reconocimiento.

Ésa era la reina caída. Me acerqué con el vaso en una mano y la tarjeta de visita que me presentaba como periodista en la otra. El mismo nombre, otro programa.

La tarjeta, el título del programa *Artistas de la Barcelona secreta* y el ego algo maltrecho de Liza me allanaron el camino.

—En el programa presentaríamos el local y dos artistas representativos. Sería una combinación de la música y la biografía de cada artista. Después de ver las actuaciones, he pensado en ti y en la reina hawaiana.

Liza torció el gesto, pero era lo bastante inteligente para no empezar la conversación criticando a otro. La palabra «biografía» despertó en él una locuacidad imparable. Tuve que escuchar la historia de su vida. Una buena historia, créanme, si me hubiera estado documentando para escribir una novela. Con todo tipo de peripecias, una infancia triste pero con momentos luminosos, como tiene que ser; una juventud de superaciones y descubrimientos, un par de viajes, un par de momentos trágicos. Un *Bildungsroman* con todas las de la ley en manos de una novelista. Para mí, en cambio, sólo un cebo para preguntar con disimulo por Berger. Por eso no le presté la atención que toda historia de vida se merece.

—Fascinante —dije para interrumpirlo—. Si tiene fotos, podremos ilustrar la historia con imágenes.

Mientras Liza, que se llamaba Luis Cuéllar, repasaba mentalmente su álbum de fotos, pregunté lo que quería saber:

—¿Sabe usted cómo podría contactar a su compañero de escenario, el que representa la reina hawaiana?

—¿Puedo serle sincero?

Por supuesto. No esperaba otra cosa.

—Sí.

—Kono, que así se llama, puede ser más bien problemático.

Pregunté con la mirada. Liza-Luis siguió.

—No niego que sea un gran artista, pero como persona es complicado. Tiene el problema de que no está conforme con lo que es.

—Bueno, supongo que es una de las premisas para dedicarse al transformismo.

—Claro. Pero yo no me creo Liza Minnelli, sólo la represento.

—¿Y su compañero se cree Lili'Uokalani?

—No ella, sino que dice que es su bisabuela o tatarabuela, no recuerdo. Y que cuando canta, su espíritu toma posesión de él.

Me contó un par más de historias cargadas de veneno contra Berger pero poco interesantes para mí. El resto debería explicármelo mejor el propio Berger o la reina Lili'Uokalani al posesionarse de él, si era necesario.

Al despedirme de Liza, pensé en cuántas expectativas rotas iba dejando mi tarjeta de periodista. Sueños televisivos truncados.

Olvidé la mala conciencia tan pronto salí del local. Otra cosa ocupaba mi mente, la decisión de romper con la ley elemental del seguimiento. Tenía que hablar con Berger. No en el rol de la periodista pelirroja Marta Rius. Tampoco, ya me había reteñido del pelo de mi color natural, en el de la periodista no pelirroja también llamada Marta Rius, con quien había hablado Liza, sino como la detective Irene Ricart.

23

VALS EN HAWÁI

Al día siguiente me planté delante de la casa de Berger. Llamé. La puerta tardó en abrirse. Berger apareció envuelto en un albornoz granate, las perneras del pijama asomaban por debajo hasta unas zapatillas de fieltro gris. Me miró interrogante.

—Me llamo Irene Ricart y soy detective privada.

Suspiró con resignación.

—La manda el señor Solís, ¿verdad?

Se hizo a un lado y me invitó a pasar. The Merry Monach King Kalakaua y The Princess Lili'Uokalani me dieron esta vez la bienvenida de forma oficial.

Seguí las zapatillas de Kono Berger arrastrándose hasta la galería que daba al jardín. Me invitó a acomodarme en un sillón de mimbre cubierto de cojines blancos. Él hizo lo mismo en otro sillón similar, sólo que el suyo estaba cubierto de varias telas de color púrpura sobre las que reposaban cojines del mismo color. Por el brillo supuse que era raso. Los dos sillones crujieron bajo nuestros cuerpos. El mío bastante menos. No he conseguido recuperar el peso que tenía antes de lo de Víctor y la niña.

Esperé a que se hubiera acomodado. Señalé su cara.

—No parecen los síntomas habituales de una infección intestinal.

—Me pegaron unos *skins*.

—Eso explica su cara y su cara explica que no haya ido a trabajar, pero no la infección intestinal.

—Es la mejor enfermedad para estar de baja en un restaurante.

—Sigue faltándome información. ¿Por qué no le ha dicho a su jefe que ha sido víctima de una agresión?

Berger me miró a los ojos con fijeza mientras respondía:

—Porque esos tipos me pegaron cuando salía del local en el que actúo tres veces a la semana después del trabajo en el restaurante.

—Club Nomi. Ayer vi su actuación.

Se sorprendió primero. Después me preguntó:

—¿Qué le pareció?

—Me gustó mucho.

Se echó hacia atrás en su sillón.

—¿Le puedo preguntar algo? —me dijo.

—Bueno.

—¿Qué sabe usted de Hawái?

—Que es un archipiélago.

—Más de veinte islas, siete de ellas habitadas —añadió Kono Berger.

—En el Pacífico.

—En el centro del Pacífico Norte —volvió a intervenir Berger en un tono que dejaba claro que, a pesar de la interrupción, esperaba de mí que siguiera exponiéndole mis escasos conocimientos.

—La capital es Honolulu.

—En la isla de Oahu.

—Es un estado de Estados Unidos —seguí.

Hice la pausa esperando que corrigiera lo que tuviera que corregir, como así fue:

—Desde el 21 de agosto de 1959, pero fue anexionado ya en 1898 por los norteamericanos, por su valor estratégico en la guerra contra los españoles. Antes, en 1894, estos usurpadores habían destituido la monarquía y habían instituido la república de Hawái, a cuyo frente estuvo el «rey de los plátanos», Sanford Dole. En 1895 abdicó la última reina. La reina Lili'Uokalani.

Esta vez sonrió al decirlo. Y añadió en tono de disculpa:

—Perdone esta manía por las precisiones. Me viene de mis antepasados prusianos.

Miré con fijeza su cara de rasgos decididamente polinesios. Hablaba en serio.

Mientras escrutaba a Berger en busca de algún atisbo teutón, noté que él esperaba que siguiera.

—Música. Hula —dije entonces.

La cara de Berger resplandeció.

—The Royal Hawaiian Orchestra.

Lo pronunció con arrobo. Se levantó de la butaca y empezó a moverse por la sala. Bailaba al compás de una música que al principio sólo escuchaba en su cabeza, pero que poco a poco se fue haciendo audible. Berger canturreaba un vals.

—¿Sabe qué melodía es ésta? —preguntó sin dejar de mecerse al compás de tres por cuatro.

—La cantó usted ayer.

—Hawai Ponoi, el himno nacional hawaiano. Compuesto por mi tatarabuelo, Heinrich Berger, a partir de un texto del rey Kalakaua.

Me tendió una mano. Me levanté, él dejó caer con suavidad la mano libre en mi cadera, yo le puse la mía sobre el hombro y me dejé llevar por ese cuerpo voluminoso pero firme en el que la voz retumbaba como en una enorme caverna. Girando, salimos de la galería y recorrimos el pasillo hacia el recibidor, sin rozar una sola vez las paredes. Berger cantaba, el roce de sus zapatillas de fieltro marcaba el compás. En el recibidor, detuvo la rotación pero siguió moviéndome en un suave balanceo. Apuntó con la cabeza hacia el retrato del hombre.

—El rey David Kalakaua, el último rey de Hawái, el primer monarca que emprendió una vuelta al mundo.

Un giro rápido hacia la derecha. Berger se apartó con suavidad de mí, pero siguió sujetando mi mano mientras hacía una leve genuflexión ante la imagen de la reina.

—Mi tatarabuela, la reina Lili'Uokalani, la hermana de Kalakaua, a quien sucedió. Autora de la más bella melodía hawaiana, *Aloha'Oe*.

Me abrazó de nuevo y empezó a cantar otra melodía, también a ritmo de vals. Por supuesto, no le dije que a mí esa melodía me recordó alguna de las espantosas películas de Elvis que a veces programaban en televisión los sábados en la sobremesa. ¿Ustedes también habían conseguido enterrarlas en algún oscuro lugar de la memoria junto con las de Maciste y las de Manolo Escobar? ¿Ahora se acuerdan de todas ellas? No saben cómo lo lamento. Porque nosotros, girando de nuevo, abandonamos el recibidor y entramos en una de las habitaciones que jalonaban el pasillo. Nuestro baile se detuvo ante el retrato del hombre en uniforme blanco que había sido testigo en mi incursión clandestina.

—El gran Heinrich Berger, mi tatarabuelo.

Dejó que yo misma sumara sus informaciones. Regresamos en silencio a la galería y nos acomodamos de nuevo en los sillones.

—¿Es esto lo que lo mueve, señor Berger?

—Sí.

—¿Adónde?

—A que en algún momento se me reconozca como quien soy, un descendiente de la familia real hawaiana y, por tanto, pretendiente a la corona. Y que, como heredero de Heinrich Berger, se me restituya la parte del patrimonio familiar que, por tanto, me corresponde. Tendrá que permitirme un breve excurso. Para entender la historia de mi familia es necesario que me remonte al año 1871 cuando el rey de Hawái, Kamehameha V, enamorado de la música inmortal de los Strauss, pidió al emperador alemán que le enviara un músico que se ocupara de la capilla real. Y ese músico fue Heinrich Berger, músico y oficial prusiano de Potsdam, que en 1872 llegó a Hawái después de embarcarse en Hamburgo, cruzar toda Norteamérica en tren y una larga travesía en barco. Berger hizo del vals la música nacional hawaiana. Para ello contó con el entusiasmo musical de la familia real. Muchos de sus miembros tocaban instrumentos y componían.

—¿Y Heinrich Berger y la reina?

—Cuando Heinrich llegó a Hawái, tenía veintiocho años; ella treinta y cuatro, estaba casada pero Heinrich pasaba mucho tiempo con la familia real y la afinidad musical que había entre él y la entonces princesa desembocó en algún momento en amor.

—¿Cómo sabe todo esto? ¿Está documentado?

—Mi familia, la rama bastarda de la casa real hawaiana de la que soy el último representante, conserva varias cartas que se escribieron.

—¿Puedo verlas?

—Ahora están en manos de los abogados que llevan este asunto. Se trata de un tema de dimensiones políticas, puesto que no sólo exijo que se me haga partícipe del patrimonio musical, sino que reclamo la vuelta de la monarquía ilegalmente destituida por los intereses bélicos de Estados Unidos. Y no estoy solo en esta empresa, son muchos los que reclaman la recuperación de la monarquía hawaiana, a cuyo frente me encontraría. Mi abogado...

—¿El señor Westlake? —Recordé el segundo nombre que había mencionado cuando lo llamé para poder salir de la casa.

—¿Cómo...?

—Soy detective. Las cartas que demuestran su parentesco con la familia real, ¿son auténticas?

—¡Por supuesto!

—O sea, que no lo sabe con certeza.

—No están firmadas, pero en ellas él, Henry, se dirige a su receptora como «mi princesa». Alude también al fruto de sus veladas musicales, a la «más bella composición que pueden escribir un hombre y una mujer que se aman».

Berger tenía suerte de que la persona con quien hablaba fuera una detective. Rodrigo no hubiera vacilado ni un segundo en comentar esa cita de las cartas. Yo, en cambio, me limité a asentir con la cabeza. Él siguió hablando con embeleso de su supuesto tatarabuelo.

—¿Sabe que Heinrich había tocado una vez a las órdenes de Johann Strauss hijo en Berlín en 1865? Strauss estrenó en ese concierto benéfico su composición *Die Morgenblätter*, que era la tercera de un programa de catorce piezas, y el público enloqueció de tal modo al escucharla que el resto del concierto sólo fueron bises de *Die Morgenblätter*.

Oyendo a Berger era fácil imaginar a esa princesa ataviada a la última moda europea en pleno Pacífico deslumbrada por un joven oficial prusiano. Un músico. Un músico que llenó sus horas de valses y polonesas. Sí. Podía verlos, a la princesa y al músico que había tocado en la orquesta de Strauss, que le podía contar, una y otra vez, cómo había sido el concierto en Berlín. ¡Berlín!

Kono Berger estaba también muy lejos, en Berlín,

en Viena o en Honolulu, donde fuera que lo hubieran transportado sus evocaciones.

—Heinrich o Henry, que es el nombre que adoptó en 1879 al obtener la ciudadanía hawaiana, fue, además, testigo de hechos que cambiaron la historia de la música. Uno de sus maestros fue Wilhelm Wieprecht, el músico militar prusiano inventor de la tuba. ¿Se da usted cuenta? ¡La tuba! ¿Cuántas personas pueden jactarse de haber visto nacer un instrumento? La tuba. El instrumento que Heinrich escogió para sí.

Berger interpretó la especie de hipo con que disimulé el arranque de hilaridad como una señal de admiración. Pero ya el nombre del instrumento me daba risa. Tuba.

Los instrumentos nos parecen, como los animales, fruto de la evolución, por eso cuesta imaginar que alguien concreto los haya inventado y también por eso mismo los instrumentos de los cuales sabemos el nombre del inventor son instrumentos de segunda, advenedizos. La tuba aún tiene la suerte de que su inventor no siguió el ejemplo de Adolphe Sax y se esconde detrás de un nombre latino. Tal vez ese tal Wieprecht lo intentó y se dio cuenta de que un instrumento llamado wiprectofón no iba a llegar muy lejos.

Berger andaba sumido en reflexiones similares.

—No crea que reclamo mi parte del patrimonio familiar para darme a la vida muelle —prosiguió—. Cuando todo se aclare, quiero dedicarme a desarrollar los instrumentos musicales, algunos de los cuales, hay que decir, dejan bastante que desear. ¿Ha escuchado usted algo más imperfecto que el sonido de una flauta travesera? Hay que pulirlo hasta que dejemos de percibir el tubo que es. Y quién sabe, quizá llegue a inventar un nuevo instrumento, que haga aún mayor el prestigio musical de nuestra familia... a la monarquía hawaiana, al pueblo de Hawái.

De pronto tuve a mi padre sentado en el sillón de mimbre. A mi padre, a quien como a Berger lo movía una sola cosa, ambos eran personas de un solo objetivo. El de mi padre había sido la búsqueda de algo en lo que ser el primero y que acabó arrinconando a su trabajo, a mi madre, a sus dos hijas.

Mi padre despreciaba a los segundos. Era una de las pocas personas que no adoraba a Raymond Poulidor, tres veces segundo y cinco tercero en el Tour de Francia. Mi padre no fingía interesarse por Jane Russell en *Los caballeros las prefieren rubias*. Despreciaba la plata, y el bronce tenía para él el valor de un trozo de papel higiénico.

—Mire, Irene, hay muchas personas que invierten su vida en hacer alguna cosa bien. Eso a mí no me interesa. Yo quiero ser el primero en hacer algo. Le pongo un ejemplo, es como viajar a la Luna. Todo el mundo sabe el nombre del primero, pero el tercero podría haberse quedado tranquilamente en su casa.

Berger reclamó mi atención al moverse en el sillón y mi padre se esfumó. ¡Puf!

Pero entendí el mensaje que había venido a comunicarme. No él, mi subconsciente. Berger, como yo, estaba inmerso en una búsqueda que no admitía soluciones intermedias. Su búsqueda era tan legítima como la mía y tenía que ver con la mía. No sólo porque ni él ni yo podíamos permitirnos ser los simpáticos segundones en esa carrera, nuestra única opción era ser los primeros. Teníamos que ser Neil Armstrong. Edwind Aldrin, Charles Conrad, Alan Bean y como quiera que fueran los nombres de pila de Shepard, Mitchell, Scott, Irwin, Young, Duke, Cernan y Schmidt se podrían haber quedado en casa.

—No me puedo permitir perder el empleo hasta que se aclare mi situación —me dijo Berger implorante.

—Eso no sucederá. Tiene que mantenerse a flote hasta que se le reconozcan sus derechos.

—Entonces, ¿usted me cree?

—Sí.

No sabía todavía adónde me llevaba este caso, pero sí atisbaba que sus dimensiones eran mucho mayores de lo que apuntaba al principio.

Lo primero, tenía que averiguar quiénes eran los tipos que habían golpeado a Berger.

Y volviendo a *Hawai 5-0*, Kam Fong como Chin Ho era realmente chistoso.

24

LA ODALISCA INFELIZ

Llegué a casa sobreexcitada y agotada a la vez. Al pisar el rellano del primer piso, la puerta de la izquierda se abrió y apareció Yolanda, mi vecina.

Yolanda es una gorda infeliz, de las que se odian por serlo y no son capaces de dejar de serlo. Podría haber sido una gorda feliz, a veces casi lo era, cuando se juntaba con amigas en una chocolatería. Yolanda hubiera sido una gorda feliz si no hubiera tenido una madre gorda que le lanzaba los insultos con los que ella seguramente se imprecaba a sí misma ante el espejo. Yolanda podría haber sido una gorda feliz con su cuerpo de odalisca del que su marido estaba a todas luces prendado, pero estaba firmemente decidida a sentirse desgraciada. Antes de la muerte de Víctor y Alicia, se lo había dicho una y otra vez, empeñada como estaba en sacarla de esa espiral absurda de autocompasión y odio.

Desde que salí de la clínica no lo había vuelto a hacer. Por dos razones. La primera ya la saben, no tenía tiempo para asuntos contingentes. La segunda, es que en la clínica aprendí que para muchos el lamento y la queja son formas de vida. Y que no hay que quitarle a la gente aquello que da sentido a su existencia.

—Hola, Irene. Ha llegado un paquete para ti y lo he cogido.

—Gracias, Yolanda.

—¿Estás bien?

Sostenía el paquete con ambas manos cerca del pecho. Sólo estaba dispuesta a entregármelo después de que respondiera a su pregunta.

—Voy haciendo.

—El trabajo entretiene mucho, ¿no?

—Pues sí.

Trataba de no mirar el paquete con demasiada avidez, no fuera a subir el precio por soltarlo a tener que escuchar un informe sobre sus intentos de perder peso.

—Me parece que suena el teléfono en mi casa —mentí—. Igual es mi madre.

Me dio el paquete sin desconfiar y subí en pos de esa imaginaria llamada salvadora.

El paquete era del axolotl, de Màrius Rovira. Le había dado mi dirección por si daba con alguna información sobre Peyró hijo. No quería que lo vieran en Detectives Marín. Pero no era nada por el estilo. Era un libro.

Una bella edición ilustrada de relatos de Cortázar y una carta en la que me contaba que su madre, a pesar de sus sesenta años de edad, iba a contraer segundas nupcias con Quimet Camps, el droguero. Me alegré por Laieta Despuig. También por Quimet Camps, aunque no lo conociera. A pesar del tono pretendidamente informativo de la carta de Rovira, creo que en el fondo él también se alegraba. Era probable que una parte de Rovira supiera que el nuevo marido de su madre era su padre real, pero disipados sus temores de ser mulato, viviría el resto de su vida en una feliz ignorancia.

Estamos programados para dejarnos engañar, tenemos la profunda necesidad de creer en los demás. Es la clave del éxito de los mentirosos.

25

MENTIRAS

En la agencia escribí un informe exculpando a Berger. Anoté horas de vigilancia delante de la puerta, una visita de Berger al ambulatorio, una compra en la farmacia: antipiréticos, antibióticos, analgésicos. Añadí una descripción de su aspecto físico, lo revisé y se lo envié a Marín.

Después pedí a Félix que me consiguiera las dos melodías que había bailado con Berger. Todavía estaba dolido, pero no protestó.

Lo primero que Félix encontró fue una foto de la lápida de Henry Berger en el Honolulu Church Cemetery.

—Hay páginas en las que escribes el nombre de la persona famosa muerta y te dice en qué cementerio está enterrada.

Entendí el interés por un tema tan morboso como

una recaída, así que antes de que me explicara detalladamente qué otros cadáveres famosos había localizado y dónde, le pedí que me buscara fotos y más información sobre los protagonistas de la historia de Berger, Lili'Uokalani, Heinrich Berger, el rey Kalakaua.

Después de recibir los hallazgos de Félix, me perdí un rato por la red y descubrí que Jack Lord, alias Steve McGarrett en *Hawai 5-0*, había muerto en 1998, como otro compañero de la serie, Richard Denning, y que en realidad se llamaba John Joseph Patrick Ryan. Lo apunté para decírselo a Rodrigo, seguro que le faltaba en la lista de seudónimos. Seguí después leyendo informaciones que pudieran corroborar la historia de Berger, pero me costaba concentrarme. Temía que Marín descubriera de algún modo que había mentido en el informe de Berger. No se conmuevan, no lo había hecho por ayudar a Berger, por más razón que éste tuviera. Todo lo que el propio Berger pudiera aportar ya lo sabía y el resto tenía que averiguarlo analizando el caso. Así lo creía entonces.

Me dolía la cabeza. Había vuelto a perder vista. Veinte, había dicho el oculista. Todavía no tenía las lentillas adaptadas y tenía que suplirlas añadiendo las dioptrías que faltaban con unas gafas que había comprado de segunda mano, pero los cristales no estaban bien centrados.

Al cabo de una hora oí que Marín salía de su despacho. Hablaba con Sarita. Una tenaza caliente empezó a oprimirme las entrañas. El miedo volvía a subir tripas arriba. Los cinco ríos más largos del mundo son el Amazonas, el Nilo, el Yangtsé, el Mississippi-Missouri, el Río Amarillo... ¿Qué hacía toda esa información todavía en mi cabeza? ¿Cómo se mide la longitud de un río? Respira hondo. Otra vez. Las ciudades más pobladas son Tokio, Ciudad de México, Mumbai, São Paulo, Nueva York. ¿No lo había olvidado ya? ¿Para qué había anotado informaciones superfluas en blocs si aparecían cuando les daba la gana? ¿Habría descubierto Marín que mi informe era falso? ¿Qué pasaría en ese caso? ¿Me echaría de la agencia? ¿Cómo podría seguir entonces? Dos pasos, sólo dos pasos me quedaban. El caso del hawaiano aún no me había revelado su sentido, no estaba resuelto. Marín no podía echarme. ¿Y si lo hacía? Respira hondo. Una vez más. El alcalde de México D.F. tiene que ser un hombre muy infeliz porque nunca llegará a saber cuánta gente vive realmente en su ciudad. Shanghái, Lagos, Los Ángeles, Calcuta, Buenos Aires... La puerta de mi despacho se abrió después de tres golpecitos cortos. Sarita asomó la cabeza.

—Irene, el jefe quiere verte.

Me sonrió. Para animarme, de ello no me cabía la menor duda, pero ¿por qué? ¿Le habría comentado

Marín que yo había falseado mi informe? Al ponerme la mano en el hombro, ¿estaba empujando a la ovejita al matadero?

Abrí la puerta del despacho de Marín.

—Pasa, Irene. Tenemos que hablar de tu informe.

26

OTRA SOMBRA

A la mañana siguiente me despedí de Marifló y consta-
té que había ganado peso y brillo en los ojos. Al salir
de casa después de mis cuatro horas de sueño, percibí la presencia del perseguidor nada más poner el pie
en la calle. Alguno de ustedes ya estará diciendo que
si notaba la presencia con tanta claridad desde hacía
varios días por qué no reaccionaba, por qué no trataba
de descubrir quién era y las razones por las que me estaba siguiendo. Tenía dos motivos para dejar a mi
sombra detrás de mí; uno era que su presencia era la
confirmación de que iba por el buen camino, ya que
parecía que alguien se estaba poniendo nervioso. El
otro era una cuestión de lógica: me quedaban dos casos por resolver y no debía desviarme de mi hoja de
ruta. Una vez llegara al final, cabían también dos op-
ciones: que la sombra desapareciera a la vez que yo

averiguaba quién había matado a mi familia o que la eliminara yo.

Por eso, una vez más, cogí las mismas calles de todos los días, compré el periódico en el mismo lugar —el quiosquero ya empezaba a saludarme—, tomé el café en el mismo bar —la camarera ya me saludaba con un «¿Cortado, chata?»— y seguí hasta Poeta Cabanyes.

Entré en Detectives Marín. Saludé a Sarita. En el despacho cerré la puerta a mi espalda. Rodrigo ya estaba allí, así que olvídenlo, no era él quien me seguía. Lo supe desde el principio, por eso no me explico qué me llevó a contárselo en lugar de saludarlo.

—Rodrigo, me están siguiendo.

—¿No serás también paranoica?

—¿Qué significa «también»?

Fingió no haber oído y se concentró de nuevo en la pantalla del ordenador. Por los movimientos del ratón, supe que estaba haciendo un solitario. Tuve que repetir la pregunta.

—¿Qué has querido decir con «también»?

—Nada. Es sólo una forma de hablar. Por cierto, ha llamado el policía del otro día, Ramón Ferret, preguntando por ti.

El ocularista había confirmado que el ojo encontrado en el poblado era el de su cliente. Dos ojos de cristal huérfanos, uno en su estuche, el otro en el depósito de pruebas de la policía.

—¡Qué caso más marciano! —dijo Rodrigo—. La policía no tiene más pruebas de que le haya pasado algo a ese hombre que una prótesis.

—Está muerto —dije.

No hablaba con él, se me escapó porque se me había ocurrido mientras tenía la boca abierta.

—¿Por qué lo crees? —me preguntó.

—Porque esta gente ya ha matado.

—¿A quién?

Rodrigo había interrumpido su solitario.

—¿Qué quisiste decir con lo de paranoica?

Ofendido por el cambio de tema, Rodrigo volvió a su juego. Le ofrecí una nueva pieza para su colección.

—Virginia Katherine McMath —dije entonces.

Su expresión era un campo de batalla entre seguir molesto a causa de mi silencio y la curiosidad por saber quién era Virginia Katherine McMath, detrás de qué seudónimo se ocultaba. Acabó sacando el cuaderno y abriéndolo por la M.

—¿Quién es?

—Ginger Rogers.

Silbó complacido mientras lo anotaba.

—Gracias.

En realidad, tenía dos más en reserva, Laszlo Lowenstein y Javier Patricio Pérez Álvarez, pero los guardé para próximas ocasiones, como, disculpen el mal gusto de esta comparación, los entrenadores de delfines, que no les dan el cubo entero de sardinas de golpe, sino una a una.

O para cuando llegara el momento, cada vez más próximo, de despedirme de Rodrigo y de Detectives Marín.

Una hora más tarde, sonó el teléfono. Temí que fuera Ferret de nuevo.

—Detectives Marín. Habla con Irene Ricart. ¿En qué puedo ayudarle?

—Irene, soy Kono Berger.

Sonaba asustado.

—¿Qué le pasa?

—Hay alguien vigilando mi casa. Un hombre.

Lo primero que pensé es que Marín estaba haciendo comprobar mi trabajo y dirigí una mirada suspicaz a la mesa de Rodrigo. Había salido hacía media hora. Pero no podía ser. El día anterior, el jefe me había felicitado por mi informe. Sólo tenía un «pero».

—Irene, aunque en un momento de debilidad mental las academias decidieran aceptar que los pronombres demostrativos se pueden escribir sin acento, aquí preferimos que se siga usando la regla tal como era antes de esa reforma innecesaria. Ya lo dice una de las leyes no escritas de la informática: «Si el sistema funciona aunque no sea perfecto, no lo toques». ¿De acuerdo?

—Por supuesto —dije—. No pasará más.

—Bueno, tampoco es necesario que te pongas tan solemne.

Eso fue todo. Después de esa corrección, envió el informe al señor Solís, el encargado de la hamburguesería. Y la factura. «No seas paranoica, Irene», me dije.

—Nosotros no somos —le dije a Berger.

—Entonces, ¿quién? ¿Y por qué?

—No lo sé. Pero lo averiguaremos, no se preocupe. En una hora estoy con usted. No salga de casa ni abra la puerta a nadie.

—¿Y usted? Si viene a mi casa, la verán.

—Entraré por el jardín.

Era fácil. Un lateral del jardín daba a una calle poco transitada. Sólo tenía que acercar uno de los contenedores de basura al muro y trepar por la verja.

—No se asome demasiado a la ventana. Mejor no se acerque en absoluto hasta que yo esté allí.

Si alguna larva de desconfianza hacia Marín hubiera podido sobrevivir, murió a los pocos minutos. Rodrigo entraba de nuevo en la agencia justo cuando yo me disponía a salir.

—Hola. Y adiós.

Su saludo llegó envuelto en el olor del café que se acababa de tomar.

Una hora más tarde, como le había prometido, estaba en casa de Berger. Vi su cara pegada a los cristales de la puerta del jardín y me pregunté si había estado plantado allí desde nuestra conversación. Tras un saludo en susurros innecesarios, le pedí que se pusiera un pijama y se asomara a la ventana del dormitorio en el piso de arriba. Estaba tan nervioso que no me preguntó cómo sabía que la ventana del dormitorio daba a la calle. La respuesta que le habría dado ya la saben: «Soy detective».

Mientras él desviaba la atención del hombre que lo vigilaba, aproveché para echarle un vistazo y fotografiarlo desde una de las ventanas de la planta baja. El tipo rondaba los cuarenta y tenía la cara algo inflada de los bebedores. Lo más llamativo era que, a pesar de estar metido dentro de un coche aparcado a la sombra en un día más bien gris, llevaba gafas de sol.

—Si es un detective —le dije a Berger—, parece salido de un tebeo.

—¿Eso es bueno o es malo?

—Malo es que, por algún motivo, su jefe parece empeñado en despedirlo y ha contratado a otra agencia. Bueno es que este tipo es un pésimo detective cuando usted mismo ya lo ha descubierto, así que será muy fácil neutralizarlo.

—Muchas gracias, Irene.

Se le humedecieron los ojos, pero no teníamos tiempo para emociones. Era necesario averiguar quién era ese hombre.

Salí otra vez saltando la verja del jardín. Me alejé un par de calles y después regresé a la de Berger. Pasé caminando sin prisas al lado del coche del vigilante. Memoricé la matrícula. Sobre el asiento del copiloto vislumbré un periódico deportivo, unos prismáticos de cazador y una cámara fotográfica. No era muy discreto.

Caminé un par de calles más. Lo primero que se me había ocurrido, supongo que a ustedes también se les habrá pasado esta idea por la cabeza, fue que tal vez ese tipo podría ser la sombra que me seguía desde hacía un tiempo. Pero no podía ser porque percibía la presencia de la sombra desde que había salido de la agencia y la seguía notando, aunque debilitada, mientras me movía por los alrededores de la casa de Berger.

Saqué el móvil del bolso y llamé a Valentín Juárez.

Era moralmente reprobable, lo sé, pero necesitaba la información con urgencia, y la evidente turbación que le causaba tener que hablar con la viuda de su compañero me ayudaba a pedirle favores antirreglamentarios.

—Hola, Valentín.

—¿Irene?

Un ataque de tos interrumpió el saludo.

—¿Sigues fumando?

—No, es el asma. Y creo... que una alergia.

Mientras tosía y pugnaba por respirar, le conté lo que quería. Le pasé la matrícula del hombre que vigilaba a Berger y le pregunté si podía averiguar algo sobre él.

—Pues claro... no es problema...

Me respondió entre carraspeos y toses.

—Me pongo en ello... en cuanto esté... en comisaría... ahora estoy de... servicio en la calle.

Colgamos.

Después de hablar con Juárez, una chispa prendió en mi cabeza. El tipo del coche no era un detective, no podía serlo. Cualquier detective, incluso principiante, lo haría mejor que él. Viendo su disfraz, su actitud y su coche daba la impresión de que todo lo que sabía del trabajo de un detective lo había aprendido de películas, y no de las mejores del género. Sin embargo, había logrado inquietar a Berger.

Empezaba a entender. A ese tipo no lo habíamos descubierto, se había dejado descubrir. Ese tipo no estaba allí porque un tal señor Solís quería echar a Berger de la hamburguesería, estaba allí para intimidarlo, para disuadirlo de reclamar sus derechos de herencia. Los tipos que habían golpeado a Berger no eran *skins*, eran esbirros pagados para asustarlo. El falso detective trabajaba para una institución de otras dimensiones porque el asunto Berger era un asunto político. Un asunto que afectaba a la legitimidad de uno de los estados de Estados Unidos. Berger y su tenaz reclamación de sus derechos de herencia, que más que derechos de autor eran derechos dinásticos, era incómodo o, quién sabe, incluso peligroso para un país dado a la sobrerreacción ante temores infundados. Estaba claro: al falso detective lo había contratado la CIA. Lo entendí, lo entendía todo de golpe.

Esta vez, el momento de iluminación no fue un haz de luces en el cerebro sino que mi cuerpo reaccionó con golpes de adrenalina, el corazón empezó a bombear con fuerza, los músculos me pedían movimiento. Creo que di por lo menos tres vueltas a la manzana. Siempre con la sombra detrás, que no sabía que le quedaban pocas horas de vida. Creo que ya les he dicho que eso me daba absolutamente igual.

Cuando logré quemar toda la adrenalina, regresé a la calle lateral. Salté de nuevo al jardín de Berger, entré en la galería y me senté en el mismo asiento que había ocupado en nuestro primer encuentro. Él se sentó en pijama frente a mí.

Le conté mis conclusiones.

—¿Está usted segura, Irene?

—Seguros no podemos estar, pero todo apunta en esa dirección. Ya he empezado a hacer averiguaciones al respecto.

Le recomendé que se reincorporara al trabajo cuanto antes y que no dejara traslucir que sabía que lo habían hecho vigilar.

No le conté que pensaba que las implicaciones políticas de su caso estaban dando un vuelco al mío. Víctor había dado con un asunto en el que se encontraban metidas instituciones de mucho peso. Como me estaba sucediendo a mí, había empezado con un caso de apariencia inocua y al tirar del hilo había topado con algo tan grande y tan peligroso que lo había pagado con su vida. Y con gente que no tuvo reparos en matar a una niña para hacer callar al padre. Pero ¿por qué había dicho Alicia que había sido un marciano?

Con todas estas preguntas sin responder me despedí de Berger.

—En cuanto tenga más, me pondré en contacto con usted.

Me despidió emocionado mientras yo salía de su casa una vez más saltando la verja.

—La próxima vez, señora Ricart, espero que ya pueda entrar por la puerta. Muchas gracias.

Esa noche, el último día de mayo, se marchó la pequeña Marifló. Rodrigo había encontrado a una familiar que se iba a hacer cargo de ella. Le regalé la foto de Alicia vestida de pirata y me prometió llorar cada día por ella.

Le di las gracias.

Faltaban dos días para el 2 de junio.

27

LA ORDEÑADORA DE ARAÑAS

Dos de junio. Otros en mi lugar no hubieran ido a trabajar. Yo sí.

Salí de casa a la hora de siempre. Hice el camino de siempre y entré puntual en Detectives Marín dejando a mi sombra en la calle. Sarita me saludó con la cabeza ladeada. Sostenía el teléfono oprimiéndolo contra el hombro para poder escribir mientras hablaba.

Era 2 de junio, un día normal en la agencia.

Marín había dicho que quizá habría un trabajo nuevo y lo esperaba con impaciencia. Mientras lograba saber adónde me llevaba el asunto de Berger, tenía que seguir en marcha. No me podía permitir ser una detective sin caso.

¿Qué hacen los otros detectives sin casos? La mayoría se aburre. Algunos se dedican a darle vueltas a asuntos que no han conseguido resolver. Todos tenemos un caso que dejamos de seguir y ahora nos persigue. Por lo general está olvidado en algún rincón oscuro y sólo sale cuando se baja la guardia, tras beber, por ejemplo. Pero algunos lo llevan siempre consigo, como un acompañante mudo siempre presente al que dedican sus horas libres. Sé de un compañero que incluso pasa las vacaciones cerca de la persona que él considera sospechosa de la desaparición de una chica a la que no logró encontrar. Su estrategia es poner nervioso al novio, dejarse ver con discreción dondequiera que vaya, pero sin darle la oportunidad de que pueda acusarlo de perseguirlo. Lleva así varios años. Pero éstas son historias excepcionales, la mayor parte de los detectives sin caso se aburre, se aburre en el despacho, en su casa, en el bar, en los billares...

Pero Marín tenía algo para mí. Para mí sola. Por el hecho de que no me ha dado la oportunidad de decírselo, Flavia nunca sabrá cuánto tengo que agradecerle. Siempre me ha rehuido y hubiera entendido como una burla sarcástica cualquier gesto de gratitud por mi parte. Más aún cuando su rechazo en esa ocasión no se debió a un capricho sino a una fobia. La detective más dura de Barcelona tenía aracnofobia. Yo no.

El cliente era Green Forest Farm. No voy a decirles dónde se encuentra exactamente porque dudo que muchos de ustedes se alegren de tenerla en el vecindario.

Green Forest Farm se halla en la última planta de un edificio de cuatro pisos en pleno Ensanche. La anuncia una discreta placa metálica al lado de la de un asesor financiero, una abogada, un logopeda y las oficinas de una pequeña editorial. En la planta baja hay una peluquería. Más no les digo.

—Criamos arañas de muchos tipos diferentes y también para diferentes fines, pero sobre todo para la investigación y la industria farmacéutica. Por una parte, conseguimos veneno de arañas para la producción de antídotos. Una de nuestras especialidades es el de *Latrodectus mactans*, la llamada viuda negra. Para producir el Aracmyn, el antídoto, se necesita veneno original y nosotros lo enviamos a los laboratorios. Por otra parte, el veneno de las arañas es valiosísimo para la investigación neuronal, por ejemplo.

Alina Vlasceanu, la gerente de la empresa, me guiaba por las dependencias de la granja de arañas.

Nos paramos ante una puerta que no se diferenciaba en nada de las otras en la empresa.

—Nos dijo el señor Marín que usted no tenía ningún problema con las arañas.

Ni con las arañas ni con las ratas que se asoman a las tazas de los váteres ni con los osos que limpian los caños de las casas y estoy segura de que tampoco con los cocodrilos albinos de las cloacas si los hubiera. Así que asentí sin la vehemencia que me hubiera hecho poco creíble y guardé para mí la fascinación que me causa la perfecta geometría de las arañas.

—Entonces vamos a entrar en el criadero.

Alina Vlasceanu llevaba una bata blanca con el logo de la empresa, debajo de la cual asomaba un vestido claro con pequeñas flores rojas. Me dio una bata como la suya para que me la pusiera. Abrió la puerta y entramos. Desde entonces sé cómo huelen las arañas. Del suelo al techo, muchas hileras de estanterías metálicas dividían una habitación sin ventanas en una cuadrícula de pasillos. En las estanterías se repartían recipientes de plástico de la forma y el tamaño de cajas de zapatos; las tapas eran de una rejilla finísima, como si fuera gasa. Contra las paredes translúcidas de los recipientes, se dibujaban siluetas de ocho patas; unas como líneas de lápiz negro, otras con articulaciones peludas y angulosas. Señaló las cajas.

—Sólo una por contenedor. Son más bien solitarias y tímidas. En estos contenedores tenemos los ejemplares de araña sicarius, también llamada araña de arena de seis ojos. Y allí al lado teníamos las cajas con los ejemplares de loxosceles.

—¿Tenían?

—Sí, por eso necesitamos sus servicios. Desde hace un par de semanas estamos sufriendo robos.

Las etiquetas en las estanterías identificaban a los habitantes de las cajas: *Latrodectus hasselti*, *Latrodectus geometricus*, *Latrodectus mactans*, *Latrodectus tredecimguttatus*, hasta que llegamos a una mesa metálica.

—Aquí trabajo yo.

—¿En qué consiste su trabajo? ¿Alimentarlas?

—También, pero sobre todo en ordeñarlas.

—¿Cómo se hace eso?

—Si quiere se lo enseño. Pero para eso tengo que sacar una araña del contenedor.

Me miró con cierto aire de desafío, buscando miedo o repugnancia. No los encontró.

—Está bien.

Buscó entre las cajas como una vendedora de zapatos de la calle Pelayo que busca en el almacén el modelo, la talla y el color. Se decidió por una de tamaño considerable, *Phoneutria bahiensis*, según se leía en la tapa.

—Esta señora es una inmigrante ilegal. Llegó en un cargamento de plátanos desde Brasil. Es una araña del banano. La descubrieron en el mercado de abastos y, como están avisados de que buscamos arañas viajeras y pagamos por ellas, nos llamaron. No llegó a picar a nadie, por suerte, porque produce un veneno neurotóxico que causa síntomas severos. ¿Verdad que sí, pequeña? —Hablaba con la araña mientras transportaba la caja—. El veneno es bastante valioso. Para extraerlo, primero la narcotizo. Así que ahora, peque, vamos a dormir una siestecita.

Dejó la caja sobre la mesa, al lado de un cilindro metálico con la etiqueta DIÓXIDO DE CARBONO, del que extrajo un tubo, lo puso sobre la tapa del contenedor y accionó una espita que dejó escapar algo de gas. La araña, que se había movido agitadamente al percibir la vibración de la caja, se quedó quieta poco después.

—¿Ve? Ahora se ha dormido.

Abrió la caja y sacó al animal. Lo depositó en una superficie de cristal bajo un microscopio y tomó unas pinzas que estaban unidas por unos cables finos a un aparato eléctrico.

—Estas pinzas sueltan una descarga eléctrica que hace que la araña se contraiga y suelte un poco de veneno. Mire.

Giró un botón en el aparato y, al momento, el cuerpo de la araña pareció encogerse, las patas dieron una sacudida y unas gotas de líquido salieron del estómago del animal. Alina Vlasceanu no comentó nada más. Estaba concentrada en recoger el veneno con una pipeta diminuta. Después liberó a la araña de las pinzas y la depositó con mimo de nuevo en su contenedor. Parecía que me había olvidado. Devolvió la caja a su lugar mientras hablaba en voz baja a la araña dormida en una lengua que supuse que era rumano.

Reclamé su atención.

—¿Cuándo descubrieron que les robaban?

—Hace dos semanas. Pero quizá empezaron antes. Tenemos aquí unos veinte mil animales entre arañas, ciempiés y algunos insectos. Notamos que faltaban ejemplares de loxosceles el día que tocaba alimentarlas. Como no comen todos los días, no controlamos a diario todas las cajas, así que es imposible fijar el momento exacto.

—Me dijo que también les habían robado veneno.

—Sí. Cuatro tubos que nos habían pedido.

—¿Qué valor tenían?

—Diez mil euros. Es una pérdida sensible para nosotros, pero lo que más nos duele es que se hayan llevado animales. El veneno lo podemos volver a conseguir, es laborioso pero es nuestro trabajo. Pero esas loxosceles las habíamos recibido hacía poco de un criador. Las estábamos aclimatando. Apenas habíamos tenido la oportunidad de trabajar con ellas.

Dirigió una mirada cargada de tristeza hacia los contenedores vacíos.

—¿No se las llevaron en sus cajas?

—No. Seguramente el ladrón o los ladrones las durmieron y después las metieron en recipientes más pequeños para poder llevárselas sin llamar la atención.

—¿Cuántos ejemplares desaparecieron?

—Veinte. Teníamos veinticinco en total.

—¿Qué tamaño tienen?

—No son muy grandes. El cuerpo mide diez milímetros.

—Así que para sacarlas bastaron contenedores pequeños...

—Si se quiere tratar bien al animal, que esté en unas condiciones mínimas, unos recipientes de tres centímetros. Si sólo se trata de transportarlas, basta con tubos como los que se usan para meter las agujas de coser. Lo he visto a veces, es espantoso. Espero que no haya sido así y que, estén donde estén, las traten bien.

Estuve tentada de decirle que no se preocupara por sus arañas, que estarían seguramente en Guayominí, pero me contuve. En lugar de eso, le hice más preguntas sobre la empresa.

—¿Cuánta gente trabaja aquí?

—Somos cinco. Dos biólogos que cuidan los animales y preparan los venenos para los envíos. Una administrativa, que recibe y envía los pedidos, y el dueño de la empresa. Pero el señor Fuentes no está aquí. Está participando en una expedición en Asia. Estará fuera dos meses más.

—¿Sabe algo de los robos?

—No. Por eso los he llamado a ustedes y no a la policía. Preferiría que no lo supiera y, además, es que me temo que sea alguien de la casa.

—Si fuera así, ¿qué piensa hacer?

—Hablar con quien haya sido para saber sus motivos. Entre nosotros hay una relación de confianza, trabajamos con materiales que son a la vez peligrosos y de gran valor; eso nos une. Si alguien ha traicionado esa confianza tiene que tener razones de peso para ello. Quiero conocerlas para saber si puedo aceptarlas o por lo menos comprenderlas.

—Le agradecería, entonces, si pudiera darme informaciones sobre sus colegas antes de que hable con ellos.

—Si quiere, le puedo copiar sus currículos y las solicitudes de empleo. —Miró el reloj de pulsera.

Fuimos a su despacho y empezó a prepararme la documentación.

—¿Me permite que le haga una pregunta? —le dije.

—Claro. Supongo que cómo llegué a esta profesión, ¿no?

—Exacto.

—Soy bióloga. Estudié en la Universidad de Bucarest y allí trabajé para una entomóloga especializada en arácnidos. Durante dos años me pasé horas y horas observando arañas y quedé fascinada, por su comportamiento, su forma de moverse, su variedad. Me hipnotizaba contemplar cómo tejían redes hermosísimas, y un día, al ver cómo una viuda negra devoraba a un macho después de aparearse, supe que podría dedicar el resto de mi vida a estos animales. Al acabar los estudios hice unas prácticas en Arizona, en la mayor granja de arañas del mundo, y después tuve la suerte de conseguir este trabajo aquí.

Alina Vlasceanu me hablaba mientras hojeaba carpetas buscando informaciones sobre la empresa que nos pudieran ayudar en la investigación. La notaba nerviosa.

—¿He venido en mal momento? —le pregunté en tono de disculpa.

—No, no. Ya terminé de ordeñar por hoy.

—No quiero insistir, pero la veo algo inquieta.

Detuvo el movimiento de pasar papeles y, sin levantar la vista, me dijo en voz baja, casi un susurro:

—Es que hoy tengo un mal día.

Por supuesto. Era 2 de junio.

—Esta mañana —siguió— he lastimado a una de las loxosceles que nos quedan.

—¿Qué le pasó?

—Al cogerla con las pinzas, los dedos me resbalaron un poco y le rompí una pata.

Dos gruesas lágrimas le bajaron por las mejillas y golpearon la superficie de una carpeta. Pensé que era extraño que las lágrimas produjeran un golpe seco, pero dejé de lado esta observación ante el rostro compungido de la aracnóloga.

—¿Tendrá que sacrificarla?

—No sé qué hacer. El animal sufre.

—Entonces quizá sería lo mejor.

Apartó por fin la vista de los papeles y me miró con un brillo esperanzado en los ojos. Dejó de llorar.

—Usted también cree que es mejor, ¿verdad? Pero él no lo quiere entender.

—¿Él?

—Carles, mi novio. Él opina que es un ejemplar demasiado valioso para matarlo sólo porque le falte una de las ocho patas. Y que, además, las arañas no sufren. ¡Qué va a saber él! Una cosa le digo, Irene: los bioquímicos tienen a veces el corazón de piedra. No son biólogos de verdad, son sobre todo químicos.

Nos interrumpió el timbre. Vlasceanu abrió. Escuché su voz:

—¡Carles! ¡Qué puntual! Pasa, pasa.

Entró seguida de un hombre de unos treinta y cinco años que llevaba una camiseta de Spiderman bajo la chaqueta de cuero y un casco de motocicleta colgando del brazo.

Por la forma en que ella nos presentó entendí que él ya sabía quién era yo. Me lo confirmó la curiosidad con que me miró al darme la mano.

—Enseguida terminamos —le dijo Vlasceanu mientras seguía fotocopiando papeles.

El motorista se sentó en una de las sillas.

—¿Puedo ayudar?

Ella negó con la cabeza.

—¿Alguien quiere un caramelo? —ofreció Carles mientras buscaba en los bolsillos de los pantalones de cuero—. Fresa, menta, hierbas...

Puso las cajetillas de cartón sobre la mesa.

—Carles, eres como un quiosco de chucherías ambulante. De fresa no te quedan, la cajita está vacía.

Carles guardó la cajita vacía en un bolsillo de la cazadora. Vlasceanu tomó un caramelo de menta y me tendió las fotocopias que había metido en una carpeta de discreto color azul con las dos manchas de humedad que habían dejado sus lágrimas. Después me acompañó hasta la puerta.

Salí de Green Forest Farm con la carpeta debajo del brazo y la mente poblada de arañas. Me metí en un bar desde el que podía ver la entrada del edificio. Diez minutos más tarde los vi salir, ella con su vestido de flores rojas y él con su camiseta de Spiderman y la cazadora de piel. Desaparecieron en la moto calle abajo.

—¿Qué te pongo, guapa?

—¿Qué hay de menú?

Empecé a leer los papeles que me había dado la ordeñadora de arañas. Miré en el folleto de la empresa los horarios de atención al público. Tenía que hablar con ella otra vez esa misma tarde. Me negaba a aceptarlo, pero ya había resuelto el caso.

28

¿EL QUINTO?

Una llamada de Valentín Juárez me libró momentáneamente de la confusión que me causaba haber aclarado el robo de arañas tan rápidamente. El quinto caso, pero el cinco no puede ir delante del cuatro. La llamada de Juárez me devolvía al caso Berger y reinstauraba el orden correcto. Cuatro, cinco. Así es y será por los siglos de los siglos.

—Tengo informaciones sobre el dueño del coche que te interesa.

Entró así a trapo en el tema, como si lo que quería decirme quemara. Eso nos ahorró tener que preguntarnos mutuamente cómo nos encontrábamos. No me lo había dicho, pero sabía por Ferret que a Juárez le habían puesto un nuevo compañero. Juan se llamaba, Juan Sanabria. Era enternecedor que Juárez tuviera reparos en contármelo. Él había sido su colega, la viuda era yo.

—El tipo se llama Gonzalo Caleti. Tengo también su dirección.

Anoté los datos. Vivía en La Ribera.

Le di las gracias.

—Ya sabes, para lo que me necesites —dijo al despedirse.

Decidí echarle un vistazo al tal Caleti. Lo de las arañas tendría que esperar un par de horas. Además, no tocaba todavía. Aún no sabía qué aportaba el caso de Berger a mi investigación y no podía ser que ya hubiera resuelto otro y tampoco supiera qué tenía que ver conmigo.

Me dirigí a la dirección que me había dado Juárez. Me sentía extraña. Caí en la cuenta de que era porque había desaparecido la sensación de llevar una segunda sombra pegada a la espalda. Estuve todo el camino atenta, pero la sensación de tener un aliento ajeno cerca de la nuca no volvió a aparecer. ¿Tenía razón Rodrigo al tacharme de paranoica?

No pude aparcar cerca de la casa de Caleti y metí el coche en un aparcamiento.

Las calles principales estaban infestadas de gente, costaba moverse sin obstáculos, sin risas y gritos estridentes perforando los tímpanos. Decidí tomar callejuelas laterales. Tal vez fuera la tensión que me causaba sentirme tan cerca de un momento clave, tal vez fuera el cansancio acumulado, pero el hedor a orines que me envolvió al tomar una calle estrecha casi me hizo retroceder. No había portal que no mostrara huellas más o menos recientes de meadas. Abrí mucho los ojos, para concentrar toda la atención en la vista y desviarla de la nariz. Lo intenté, lo juro, pero cuando en la siguiente calle vi a un chico arqueado contra la pared y distinguí el chorro que procuraba que no le mojara los zapatos, perdí por un momento el control. Me acerqué veloz por detrás y le di una patada fortísima en los riñones que lo aplastó contra la pared. Perdió el equilibrio y cayó sobre su propio charco. Aproveché para darle otra patada en las costillas y la última entre las piernas. No sé si me dijo algo, no oía. Toda yo era tan sólo una nariz ofendida, un cerebro que pedía que cesaran esos estímulos desagradables para poder pensar.

Lo dejé tirado en el suelo y corrí hacia la dirección de Caleti. Cinco minutos después estaba allí.

Había, por suerte, un bar enfrente del número en el que vivía el falso detective. Seguía sin sentir a la sombra.

Llamé a información telefónica y conseguí el número de Caleti. Toda falsa identidad tiene que ser reforzada con datos triviales. No hay nada que haga más sospechosa a una persona que la ausencia de detalles intrascendentes. Si creamos una nueva personalidad, le tenemos que dar, por supuesto, un nombre, una fecha y un lugar de nacimiento, una dirección y un número de teléfono. Pero también un carnet de socio de un videoclub o de una biblioteca; se tienen que recibir postales de amigos de vacaciones; se necesitan imanes con el Big Ben o la Venus de Milo en la nevera; tiene que haber una dependienta de panadería a quien se le haya contado algo de la familia en Soria y, fundamental, se necesita un pequeño vicio, tabaco, tragaperras, coleccionables... Sólo así podemos estar seguros de haber creado una personalidad verosímil para el entorno. Mucho más no necesita la gente para creer que existimos.

Gonzalo Caleti, de momento, estaba bien inventado. Llamé para comprobar que estuviera en casa.

—¡Diga!

—Perdón, ¿con quién hablo?

—¿A ti qué te importa? Gonzalo Caleti al aparato. ¿Quién es?

—Perdone, me he equivocado de número.

—No te jode...

Colgó.

Esperé en el bar con la consumición pagada por si tenía que salir rápido detrás de él.

Tuve suerte. Sólo llevaba una hora delante del portal de Caleti cuando lo vi salir. Doblé el periódico y ya iba a coger el bolso cuando vi que se dirigía precisamente al bar. Me había descubierto.

En el tiempo que tardó en cruzar la calle y entrar reconstruí cómo con la avanzada ayuda de seguimiento con que cuentan los servicios de inteligencia lograba localizar mi número y el GPS le daba la situación exacta de mi móvil.

El camarero percibió mis movimientos, pero los interpretó como una llamada. Se acercó.

—¿Otro cortadito?

Asentí porque no podía apartar la mirada de Caleti. Mientras el camarero se alejaba con la taza vacía, Caleti empujaba la puerta del bar.

Un hombre que había estado todo el tiempo sentado con otro en taburetes altos tapizados hacía dos décadas en polipiel granate lo saludó a voces.

—¡Hombre, Gonzalín! Ya era hora.

Puse de inmediato cara de señora tomándose el cafelito, aunque Caleti no me dirigió ni una mirada.

Los tres hombres empezaron a repasar todos los temas de bar, un poco de política, un poco de fútbol, un poco de tele, pero se notaba que eran prolegómenos. El tipo que espiaba a Berger despachaba los temas con la displicencia nerviosa de quien cree tener un mensaje importante que transmitir. De vez en cuando echaba con ostentativa indiferencia una moneda en la tragaperras de luces histéricas encima de la barra.

El camarero me trajo el cortado. Lo pagué.

Por fin, uno de sus interlocutores se sacó de la boca el palillo que había ido desplazando todo ese tiempo de un lado a otro y le preguntó:

—¿Qué te cuentas de tus casos, Pepe Carvalho?

¡Carvalho! ¡Había dicho Carvalho!

—Dos casos tengo, dos.

—Macho, el negocio prospera.

—Así es. Con estos tiempos que corren, las empresas no saben cómo quitarse a la gente de encima.

—¡Qué chollazo!

—Depende. A mí me pagan por cabeza y uno de los pringados a los que sigo estaba de baja de verdad, así que el trabajo ha sido para nada. Pero al otro lo pillo seguro.

—¡Eres un hacha, Gonzalín!

—En el cole no se le escapaba una, sabía los secretos de todo quisque.

—Pero no era un chivato, que quede claro —matizó Caleti.

—Pero siempre sabías sacarle jugo.

Caleti entendió como un halago que se le reconociera un talento precoz para la extorsión.

—Lo mejor es la cara de gilipollas que se les pone a esos pringaos cuando se enteran de que los han pillado. Hay que estar al loro.

—Y que lo digas, Caleti. Una ronda te pagarás, ¿no?

—¿Tú te crees que el dinero a mí me lo regalan o qué? El trabajo de detective es duro y puede ser también peligroso.

Se hizo un penoso silencio. Los observé de reojo. Los tres miraban al suelo. Hasta que el tipo que espiaba a Berger, ese tal Caleti, levantó la mano para llamar al camarero.

—Ponnos otra ronda de cañas.

—Y alguna tapita, ¿no? —dijo uno de los hombres.

Ante la mirada interrogante del camarero, el tipo acabó diciendo que sí.

Justo entonces sonó el móvil. Era de nuevo Valentín Juárez. Los tres hombres se habían vuelto hacia mí en un movimiento reflejo; después, la vuelta del camarero con las cervezas desvió la atención de los dos que estaban sentados. Pero el falso detective se quedó mirándome, como si pudiera escuchar su nombre al otro lado del teléfono.

—Gonzalo Caleti... —me estaba diciendo Juárez.

Regla básica del manual de detectives: en los seguimientos hay que evitar a toda costa el contacto visual con la persona. Miré hacia la puerta. Sonreí al hablar.

—Muchas gracias, Pili.

—¿No me digas que te he llamado en plena observación?

Por suerte, en el bar no podían oír la risa de Juárez.

—¿Averiguaste algo más sobre el tipo?

—Claro. Ya puestos, miré si lo teníamos registrado.

—¿Y?

—¿Ya no soy Pili?

—Si te hace ilusión... ¿Y qué más, Pili?

—Parece que el tío es una buena pieza. Hace unos años trabajó para una empresa brasileña que comercializaba piedras semipreciosas. Una vez les desaparecieron varios muestrarios. Se sospechó de él, pero nunca se pudo demostrar nada. Después anduvo un par de años por Madrid. No he conseguido averiguar qué hizo allí, pero tiene una colección de multas por aparcamiento indebido y exceso de velocidad. Aquí en Barcelona, por cierto, también.

—Pero tienes algo más, ¿verdad?

—Sí, señora. —Sonaba muy complacido—. Al tío lo denunciaron un par de colegas tuyos por intrusismo. Trabajaba de detective sin licencia. En realidad, es representante de una empresa de fotocopiadoras.

—Gracias, Pili.

—No hay de qué. Espero haber podido ayudarte.

—Mucho —titubeé.

Me acababa de despertar con una buena bofetada.

29

PARÁLISIS

No recuerdo cómo logré levantarme y salir del bar. Me estaba petrificando. Era más que la fecha que me pesaba como una losa caída sobre el pecho desde que me había despertado. Una losa como una lápida que me empujaba a una tumba sin fondo en una caída entre paredes cada vez más oscuras. Abajo, más abajo, me apretaba la losa tapándome la luz de la que me alejaba vertiginosamente sin llegar a sentir en la espalda el golpe húmedo y embarrado del fondo.

Porque no había fondo, porque estaba cayendo en la nada, en la misma nada en la que me había sumergido la muerte de mi familia y de la que creía haberme sacado yo misma para descubrir ahora que lo había hecho como el marinero del cuento que se salva del agua tirando de su propio pelo. Todo había sido nada.

Caleti no era un agente de la CIA sino un desgraciado de la peor calaña, la de los que pisotean a los pocos que quedan por debajo de ellos. Berger era un vendedor de hamburguesas con delirios de grandeza y yo una delirante detective enajenada. ¿Cómo sentí esta vez la iluminación?, preguntan. Como un fogonazo detrás del cual todo se pone negro, como los aros concéntricos de dolor que suben por el cuerpo después de un puñetazo en el estómago. Me toqué la mandíbula en el lugar en el que faltaba un trocito de hueso, la marca del golpe que me había enviado a la clínica.

Un golpe de viento me recibió en la calle. El día se había oscurecido, se anunciaba una lluvia de verano. Los barceloneses, que, como buenos mediterráneos, se sienten muy infelices cuando se mojan, caminaban con prisa huyendo de las gotas que no tardarían en caer. Una especie de parálisis se adueñaba, en cambio, de mí. El cuerpo me pesaba cada vez más, las piernas eran dos sacos llenos de arena que se mojaba más a cada paso, los brazos se habían convertido en dos trozos de carne muerta que me colgaban de los hombros. Me dejé caer en un banco, uno de esos bancos desgraciados situados a pocos metros de la calzada, sin sombra. Bancos para ver pasar los autos, bancos en los que no se sienta nadie. Sobre esas tablas no se había sentado nadie en los últimos años, tal vez desde que a alguien se le ocurrió plantar el banco allí.

Antes de que la pérdida de la capacidad de movimiento me bloqueara la mente, tomé, mejor dicho, el instinto de supervivencia tomó la decisión de que me levantaría en cuanto pasara un coche rojo los números de cuya matrícula sumaran veintiocho.

Rojo y diecinueve, rojo y treinta y cinco, rojo y veinte. Veintiocho pero blanco. La sombra me había abandonado. No, no me había abandonado porque nunca había existido, de modo que no podía haberme dejado. Noté, con todo, su ausencia hasta que la certeza de haberla imaginado me borró incluso su recuerdo.

Veintisiete azul, veinticinco rojo, veinticuatro negro. La ruleta jugaba en mi contra, se divertía dejándome clavada en el banco. En ese mismo momento, Alina Vlasceanu estaría despidiéndose de su loxosceles mientras ésta se dormía en un sueño de éter.

La parálisis se extendía ya al torso. En algún momento dejaría de respirar. Tal vez me quedaría en ese banco para siempre, me momificaría, como esas dos hermanas ancianas que habían encontrado muertas en su vivienda en el centro de Viena hacía unos años. Momificadas. Sequitas. Como me quedaría yo. Un día a alguien se le ocurriría sentarse en ese banco inhóspito y notaría el crujido como de hoja seca que saldría de mi cuerpo al resquebrajarse y romperse en pedacitos oscuros y minúsculos.

El 2 de junio me aplastaba contra el banco.

En un banco que no merecía el nombre más que por su estructura se acabaría la historia de Irene Ricart, detective miope, detective de pacotilla.

Entonces pasó el coche rojo con la matrícula 7894. Veintiocho y rojo. Me levanté.

Sentí el dolor del hormigueo de la sangre que volvía a circular por mi cuerpo. Llegué al aparcamiento. Conduje hasta casa y entré en el portal.

No iba a salir más. No el 2 de junio. Seguramente tampoco al día siguiente.

30

SUBIR UNA ESCALERA

Estaba en el portal, en la entrada del espacio que había compartido con Víctor y Alicia. Diez años con él, ocho con ella. Había conseguido llegar hasta allí y me había quedado inmóvil con la espalda pegada a la madera que me separaba de la calle. Parada, como esos cochecitos de juguete que había que arrastrar hacia atrás para tensar unas gomas y que salían despedidos como balas cuando los soltábamos para frenarse en seco en cuanto las gomas se aflojaban. Sin poder rodar más porque esas mismas gomas bloqueaban las ruedas. Mis gomas, el coche rojo con la matrícula que sumaba veintiocho, me habían llevado hasta el portal; después el impulso se había agotado de repente.

Tenía que subir dos pisos.

El vestíbulo se extendía imposible ante mis pies; la escalera era una serie de pliegues ascendentes, una sucesión de obstáculos de quince centímetros insalvables.

Hurgué en mi mente buscando una chispa, un soplo, un rastro de energía. Empecé a darme instrucciones.

—Levanta el pie derecho, adelanta dos baldosas, una blanca y otra negra. Ponlo sobre la tercera, blanca. Ahora el pie izquierdo. Levantar. Adelantar dos baldosas, una negra y otra blanca. Poner sobre la tercera. Negra.

Lo repetí ocho veces y logré llegar al pie de la escalera.

Doce escalones, un rellano, doce escalones. Primer piso. Un rellano. Doce escalones, un rellano, doce escalones. Otro rellano. Segundo piso. El mío. Inicié el ascenso. Un pie, después el otro levantados penosamente. Hasta que una voz familiar me salió al encuentro en la mitad del segundo bloque de escalones después del primer rellano.

—Hola, Irene. Te estaba esperando.

Era Yolanda, la vecina del primer piso.

—¿Cómo es que subes tan despacio? ¿Te has lesionado?

Siempre me había resultado algo cargante su manía de hacer conjeturas prematuras que convertía las conversaciones con ella en tremendos trabajos de corrección y reformulación. Esta vez me permitió contestar con una afirmación.

—¿Te ayudo? —dijo.

Bajó hasta mí y me tomó del codo. No recuerdo haber pisado los escalones hasta su rellano.

—Te esperaba porque estoy algo preocupada. Hoy me ha parecido oír ruidos en tu piso mientras no estabas. Te quería avisar.

Al hablar miraba hacia arriba, pero no había bajado la voz.

—¿Cuándo ha sido?

—Este mediodía. Hacia las dos.

—¿Qué has oído?

—Pasos.

—¿Una o varias personas?

Yolanda sabe que soy detective. La pregunta no sólo se lo recordó sino que pareció sumergirla en alguna escena de película; de pronto empezó a hablarme en susurros.

—Yo diría que una persona. Y ya se marchó.

—¿Cuánto tiempo anduvo por mi casa?

—Una hora como mucho. Es que no estoy segura de cuándo entró —dijo en tono de disculpa—. Pero salió del piso a las catorce cincuenta y seis. Lo he mirado en el despertador digital del niño.

Me dio un papelito amarillo con esos números anotados: 14.56.

—¿Lo viste?

—Oí cómo cerraba la puerta y me asomé a la mirilla, pero llevaba una gorra de béisbol y gafas de sol.

—¿Hombre?

—Diría que sí.

Empecé a sentir el doloroso hormigueo que recorre los miembros inertes cuando recuperan la circulación. Controlé con todo la impaciencia y dejé que Yolanda me ayudara a subir hasta mi casa.

Llegamos delante de la puerta.

—Casi lo olvido. El cartero dejó un paquetito para ti —me dijo.

Bajó corriendo y volvió con un sobre acolchado. Parecía contener un CD. Lo cogí y abrí la puerta.

—¿Quieres que entre contigo?

Le dije que no era necesario. No llegué a fijarme en si la decepcionaba o la aliviaba. Sólo quería entrar en casa y ver qué había pasado.

—Pero si me necesitas, me avisas.

—Si pasa algo, daré tres golpes en el suelo.

Entré y la olvidé. Nunca sabré cuánto rato debió de pasar atenta al techo, pendiente de los tres golpes. No la he vuelto a ver.

31

IL CORSARO NERO PIANGE

Aunque Yolanda no me lo hubiera dicho, hubiera sabido de inmediato que alguien había estado allí. Era el trabajo de un profesional, pero yo también lo era. Los cojines del sofá estaban en su lugar, pero algo desplazados. Los libros se encontraban unos centímetros más adentro en la estantería; los papeles, el boli y el lápiz estaban en el mismo sitio pero algo mejor apilados sobre la mesa, y cuando me marché los cuadernillos de problemas de matemáticas no estaban dispuestos con tal simetría. De eso estaba cien por cien segura. Me había pasado media hora con la vista clavada en ellos después del desayuno hasta que el día se había decidido por fin: iba a ser soleado. Entonces había buscado la polaroid correspondiente y me había vestido para salir a la calle.

Alguien había registrado mi casa. No era sólo mi impresión, Yolanda había escuchado algo. Todas las dudas que me habían aplastado hacía unas horas desaparecían, me desprendía de ellas como una serpiente que cambia de piel. La nueva era como la anterior pero más ancha, más flexible. Empezaba a entender de nuevo.

La sombra me había abandonado para meterse en mi casa, para entrar en mi territorio y hurgar en mis cosas, buscando algo. Pero ¿qué?

Las cajas de Víctor.

Los cartones mostraban las arrugas de la apertura que no era la mía. Conocía su contenido de memoria. No faltaba nada. Lo que la sombra buscaba no estaba ahí. Alguien se estaba poniendo muy nervioso.

Recordé entonces el paquetito que me había dado Yolanda. Era de Kono Berger.

Rasgué el envoltorio. La fecha aún no quería darme una tregua. Lo había recibido porque era 2 de junio.

En el interior, una postal que mostraba a Heinrich Berger; era la misma foto que había visto en su casa. Kono Berger había escrito algo:

Querida Irene: hoy es un día muy especial para la familia Berger. El 2 de junio de 1872 Heinrich Berger llegó a Honolulu. No quería dejar pasar esta efeméride sin compartir con usted este gran día, este día especial.

Sí, el 2 de junio era un día especial. Hacía justo un año que habían matado a Víctor.

La postal iba acompañada de un CD. Lo puse. No reconocí al momento la melodía porque se trataba de una grabación muy antigua. Berger había anotado en la funda que era una de las grabaciones más antiguas que se conservaban de la Royal Hawaiian Orchestra interpretando *Aloha'Oe*. Era una grabación hecha con un fonógrafo y la voz de una mujer llegaba cansada después de más de un siglo. Era un sonido agónico, rasposo, a veces metálico. Entrecortado.

De pronto entendí. Las piernas me flaquearon y me senté en el suelo al lado de uno de los altavoces. Escuché la grabación de nuevo y me eché a llorar. El caso Berger sí había tenido sentido. Berger acababa de enviarme la clave.

—Tenías razón, mi niña, tenías toda la razón. Fue un marciano, fue un marciano de *La guerra de las galaxias*. Fue Darth Vader.

32

EL MARCIANO

Salí a la calle un par de horas más tarde, cuando me sentí preparada para enfrentarme a la sombra.

Caminé por el barrio para cerciorarme de que estaba allí. No tardé en percibir su presencia. Me pregunté si no debería pedir ayuda a alguien. A Rodrigo o a Ferret. Pero ellos sólo habrían intentado disuadirme. Rodrigo se había burlado de mí. Ferret querría resolverlo por la vía policial. No. Era mi asunto. Si todo salía mal, sólo podía perder mi vida.

Entré en el aparcamiento donde había dejado el coche. Me había propuesto llevar a la sombra a la Carretera de las Aguas. Sí, sí, tienen ustedes razón, estos desenlaces tan redondos sólo se dan en las novelas.

Al sacar las llaves del bolso lo oí: el sonido de unos pasos cercanos. Mi cuerpo se contrajo como el de las arañas en el microscopio de Alina Vlasceanu. Podría entonces haber abierto la puerta del coche, podría haberme sentado rauda tras el volante, podría haber arrancado el coche y haber salido a toda velocidad de esa nave de hormigón llena de columnas amenazantes. Podría haberlo hecho, pero no lo hice. Detuve todos mis movimientos en seco, lo que me permitió localizar de dónde procedía el ruido. Detrás de mí, a la derecha. Me volví y empecé a caminar en esa dirección. Un sonido sordo, tal vez el roce de unos zapatos o el de la ropa contra la superficie rugosa de una columna, me ayudó a precisar mi dirección. A pesar de la poca luz, distinguí un movimiento detrás de la columna que quedaba más cerca de la pared del fondo. Era una cabeza que se asomaba y desaparecía con rapidez.

¿Si tenía miedo? No. La sacudida que había sentido al notar esa presencia me había inoculado un veneno que bloqueaba el miedo. Era el veneno del odio, del odio frío, macerado en la espera y ansioso por encontrarse con su objeto. Por fin iba a ver cara a cara a mi sombra y ardía en deseos de saber si era quien suponía. Decidí que era mejor sacarla de su escondite.

—¿Por qué no sales y te muestras?

Me detuve a unos metros de la columna. Esperé unos segundos, pero no se movió nada.

—¿Por qué no sales, Valentín? No vamos a quedarnos todo el día aquí.

Escuché un suspiro resignado y detrás de él salió Valentín Juárez forzando una sonrisa.

—Hola, Irene —saludó tontamente.

—¿Por qué estás siguiéndome?

—No, no te seguía. Te vi por casualidad... y pensé que... es peligroso... que te metas sola... en un aparcamiento.

¡Darth Vader! Cuanto más nervioso, más se le entrecortaba la respiración. Tenías razón, Alicia, fue ese marciano de mierda. El marciano de *La guerra de las galaxias*. Ese asmático hijo de puta.

—¿Por qué es peligroso?

—Porque la gente que mató... a Víctor... te tiene miedo... estás poniendo nerviosa... a alguna... gente... Tengo que... protegerte.

—¿Quién mató a Víctor?

—Yo sólo quiero... protegerte.

—¿Quién disparó contra Víctor? ¿Quién disparó contra mi hija?

—Irene... no me obligues...

—¿Que no te obligue a qué? ¿A hablar o a matarme a mí también?

Abrió mucho los ojos, boqueó como un pez fuera del agua, apretó los puños y empezó a darse golpes en los muslos como si quisiera así sacar algún sonido de su cuerpo, ya que no lo hacían las palabras. Sólo logró soltar preguntas.

—Pero ¿cómo?... ¿Desde cuándo?... ¿Quién?

No necesité más. Pude completar sin esfuerzo sus preguntas. Eran su confesión. De que había sido él y de que me había seguido hasta allí para matarme.

Pero Valentín nunca había sido una persona original o brillante. Tampoco un policía brillante, Víctor lo decía con frecuencia, pero aun así lo apreciaba. Decía que lo de ser policía le quedaba grande, que siempre tenía la sensación de que había algo postizo en él, más actitud que fondo. Así que sacó la pistola pero, tal vez porque en ese momento no representaba el papel del policía y compañero sino el del malo de la película y porque el malo siempre quiere aclarar sus motivos antes de disparar, decidió abrir la boca.

Y otro disparó primero.

Juárez nunca sabría quién lo mató. Cayó de rodillas mirándome fijamente. Aún trató de decir algo, pero en lugar de palabras salieron varios borbotones de sangre sincopados. Después cayó de bruces. Detrás de él vi a Ferret; había bajado la pistola y me miraba desde la puerta de acceso a las escaleras del aparcamiento.

Sin apartar la vista el uno del otro, avanzamos hasta llegar al cuerpo de Juárez.

—¿Cómo? —pregunté señalándolo.

—Sólo él podía saber que Víctor iba a pasar por la Carretera de las Aguas. Ambos conocían a la perfección las rutinas del compañero.

—¿Por qué?

—Creo que tienes razón con tu hipótesis.

—¿De verdad me crees?

—Sí. Y me temo que hay gente nuestra metida en algo sucio. No creo que se tratara sólo de Juárez.

—Pero ¿de qué se trata, Ramón? Drogas, ¿no?

—No sólo. Mencionaste a Roque Reina. Ése era el nombre clave. Pero no tenemos tiempo para hablar, tenemos que sacar el cuerpo de aquí.

Dirigió una mirada a mi coche. Lo acerqué y entre los dos metimos el cuerpo en el maletero. Después, Ferret cogió una lata de aceite de motor que habíamos apartado para meter el cadáver y vertió una buena parte del contenido sobre la mancha de sangre que había quedado en el suelo. Con los pies y con un periódico arrastramos polvo y porquería del suelo y lo mezclamos con el aceite y la sangre. La mancha se volvió negra. En cuanto la pisaran un par de ruedas sería ya una más en el pavimento sucio del aparcamiento.

Iba a subir al coche, pero Ramón Ferret me detuvo.

—Déjame hacerlo a mí, Irene. Te devolveré el coche mañana, limpio. Y no me preguntes —añadió, antes de que pudiera decir algo—. Hay partes del trabajo policial que distan de ser correctas o morales.

Podía imaginarse que ya lo sabía, pero parecía hacerle bien formularlo en voz alta.

—Ve a casa. Te llamaré en cuanto haya solucionado esto.

Entró en mi coche. Vi cómo desaparecía rampa arriba y lancé una última mirada a la mancha pringosa y negra que ocupaba el lugar del cuerpo de Valentín Juárez.

Al abrir la puerta de las escaleras, me encontré cara a cara con una pareja; venían a buscar su coche, el único vehículo que quedaba, en el otro extremo de la planta. No tendrían que pisar la mancha.

Ni se fijaron en mí, ni cayeron en la cuenta de que ahí sólo había un coche, precisamente lo primero en que pensé al verlos. Ellos ya se considerarían muy sagaces por recordar que habían aparcado en la tercera planta a la izquierda de la escalera. Habrían intentado memorizar el número de la plaza y lo más probable es que ya hubieran confundido el orden de las cifras varias veces. ¿381 o 318? 318. Si hubieran estado en la plaza 381 ahora estarían especulando si esa superficie oleosa ya estaba allí cuando llegaron o no. Pero como estaban en la plaza 318, ni llegarían a saber que pocos minutos antes en ese aparcamiento inmundo acababan de ajusticiar al asesino de mi familia.

Salí a la calle.

Juárez era sólo el que había apretado el gatillo, nos faltaba saber quién le había dado la orden. Juárez no era, no podía haber sido la cabeza, ¿de qué?

Víctor lo había descubierto. Por eso lo habían matado.

¿Por qué nunca me dijo nada?

Sin darme cuenta, había acelerado el paso, casi corría con la urgencia de llegar a casa y esperar la llamada de Ferret, como si llegar antes pudiera hacer que me llamara también antes. Además, necesitaba un arma. Quería notar en el bolso el peso de una pistola, la pistola de Víctor. Ya había devuelto su arma reglamentaria, pero él tenía otra. La escondimos en una caja en el estante más alto de la cocina. Para que la niña no pudiera alcanzarla. Esa pistola era el secreto mejor guardado ante Alicia. En su presencia ni siquiera aludíamos a ella, no le habíamos dado un nombre en clave, como antes hacían las abuelas para hablar de la regla como «la visita de la tía Rita». Esa pistola no se llamaba «la pipa», «el hierro» o «eso que tú ya sabes».

Esa pistola no tenía ni nombre ni existencia en casa.

Y esa pistola no estaba donde debería haber estado.

33

EN LA PLAYA

A las diez sonó por fin el teléfono.

—Ya está —dijo Ferret.

No le pregunté qué había hecho con el cuerpo de Valentín Juárez, lo que me interesaba era saber qué haríamos a continuación.

—¿Haremos? Será mejor que te mantengas al margen. De momento nada te relaciona con lo sucedido.

—Pero seguimos sin saber quién está detrás de todo esto y de qué se trata.

Ferret no decía nada. Insistí.

—Alguien ordenó a Juárez que me matara, ¿quién dice que no mandará a otro sicario?

—No lo hará.

—Entonces, sabes quién es, ¿verdad?

—Sí.

—¿Es Roque Reina?

Vaciló antes de responderme.

—Roque Reina es sólo uno más, pero nos puede llevar a los de arriba.

—Tenemos que ir a por él.

Volvió a callar. Me estaba poniendo nerviosa con esos silencios.

—Tenemos que llegar hasta el final, Ramón. Yo, por lo menos, quiero y tengo que llegar hasta el final.

—¿Qué quieres decir, que yo no? Es un asunto policial, que se tiene que resolver por otras vías. Deja que me encargue yo de eso.

—No. Yo también quiero seguir en esto.

—No será una acción legal.

—Tampoco lo ha sido esta tarde. Seguro que en el aparcamiento no has usado un arma reglamentaria —aventuré.

Y acerté.

—No, no lo era. No sabía hasta qué punto podía llegar la mierda en este asunto y cuánto podría salpicarme. Si te soy sincero, y creo que no me queda otro remedio, preferiría arreglar esto por mi cuenta y sólo hacerlo público si es inevitable. No quiero que un par de manzanas podridas arruinen el trabajo de buenos policías. Como lo fue Víctor.

—Entonces, déjanos poner fin juntos a todo esto. Vayamos a por Roque Reina.

—Está bien, Irene. Es de justicia —cedió al fin.

Nos citamos para ir al día siguiente por la mañana a la torre de Reina en Castelldefels. Tomaríamos el coche de Ferret, el mío lo tenía escondido en su garaje porque había que limpiar el maletero de los restos de sangre y cabellos de Juárez.

Antes de acostarme hice una última llamada desde el teléfono de casa.

A las nueve de la mañana tomamos la autovía. No hablamos durante el trayecto. Víctor me había contado que era muchas veces así antes de las operaciones arriesgadas y yo absorbía ese silencio concentrado imaginándomelo.

El día anterior había resuelto el caso de las arañas desaparecidas. Aún no se lo había dicho ni a Vlasceanu ni a Marín. Quería guardarlo para mí hasta saber qué significaba. Peyró y la cantante calva me habían llevado al traficante Reina. El blanco-negro del Prat me había mostrado una vez más que estamos hechos para dejarnos engañar. Que los que intentaban pasarse de listos acababan muertos y sin ojos lo había aprendido demasiado tarde el abogado. Berger me había llevado al marciano. Pero ¿qué sacaba del asunto de la granja de arañas?

En el término municipal de Castelldefels cruzamos al otro lado, al lado del mar. Ferret enfiló una calle que nos dejó delante del agua.

La playa de Castelldefels era una línea brillante casi inmóvil salpicada por cabezas mañaneras mecidas por el escaso oleaje. En la arena, algunos cuerpos dormitando sobre las toallas. Sólo unos niños permanecían de pie, pero la verticalidad les pesaba y se perseguían cansinos sin apenas levantar arena con los pies.

Aparcamos delante de un bloque de apartamentos. Todas las persianas estaban medio bajadas, pero a diferencia del invierno, cuando esa zona es una ciudad fantasma, los balcones estaban cubiertos de toallas de playa secándose al sol: anclas azules, delfines rojos sobre un fondo amarillo, estrellas y caballitos de mar, la sirena de Disney a todo color nos saludaron al bajar del coche. Mentiría si dijera que me parecieron tétricos o inapropiados por el hecho de que a dos calles de allí me las iba a ver con la persona que había ordenado la muerte de Víctor y había hecho matar a Alicia. No, el caballito y la estrella de mar, el ancla y la sirenita son las banderas del verano. Ese y cualquier otro día.

Llegamos a una casa de dos pisos con un jardín separado de la calle por una verja de hierro forjado en la que las trepadoras se enredaban bien nutridas y regadas. Las de la casa de al lado, cerrada, estaban agostadas y las hojas secas crujían movidas por el aire salino. La puerta de la cancela se abrió sin protestar. Entramos en el jardín. Un perro asomó una cabeza enorme desde el interior de una caseta, vimos que estaba encadenado a una barra de hierro clavada en el suelo. Sacó el resto del cuerpo con pereza, ladró dos veces sin demasiado entusiasmo y se dejó caer cerca de la escudilla del agua. Mientras nos veía pasar hasta la entrada de la casa, gruñó sin levantarse; después, hecho su trabajo, bostezó ruidosamente.

Ramón abrió la puerta sin dificultades. Los policías saben hacer estas cosas. Víctor le había enseñado a la niña a abrir la puerta de casa con una radiografía. Yo también sabía hacerlo, pero fingí enfadarme con él.

Después, Ramón sacó la pistola y entramos. La pistola delante, él detrás y yo siguiéndolos. Toda la casa estaba en silencio. Al fondo se escuchaba un sonido sordo y rítmico; un reloj de pared, supuse. Dejamos atrás un recibidor anodino, de muestrario de tienda de muebles, pensado tal vez para disipar la curiosidad de carteros y visitas inesperadas. Pasamos a un amplio pasillo. Allí empezaba la casa de Roque Reina. Una sucesión de fotos de sus estrellas a la derecha; reproducciones de carteles y carátulas de algunas de sus películas a la izquierda. Sobre un mueblecito lacado en rojo una colección de cajitas de nácar del tamaño de un dedal. Monodosis de coca para las visitas, pensé. El perro ladró sin ganas en el patio. Nos detuvimos expectantes. Nadie se movió en la casa. Después, los ladridos cesaron y nosotros seguimos avanzando con lentitud por el pasillo. Desde una de las fotos, Aurora Claramunt nos miraba mostrando su cuerpo alopécico a una cámara lúbrica.

Nuestros pasos siguientes nos la mostraron desde todos los ángulos y en diversas compañías, un hombre, dos hombres, un hombre y una mujer, una mujer, dos mujeres... La última foto de la serie no llegué a verla porque la escena en el salón de la casa, al que acabábamos de llegar, atrajo por completo mi atención.

Sentado en un sillón de cuero blanco, vestido sólo con unas bermudas de color turquesa, estaba quien debía de haber sido Roque Reina. Un agujero oscuro en medio de la frente indicaba por dónde había entrado la bala que lo había matado. Tenía los ojos abiertos y la cabeza echada en el cojín que su propia sangre había teñido de granate.

Ramón Ferret se volvió hacia mí con expresión de sorpresa, pero yo ya sabía que fingía.

—A este desgraciado no era necesario que te lo cargaras.

Abrió tanto los ojos como lo habría hecho Roque Reina antes de morir. El productor de pornos y camello no debió de entender muy bien por qué lo mataban. No tenía nada que ver con el asunto.

—¿Lo mataste antes o después que a Valentín?

Primero, Ferret quiso negarlo, pero dado que era él quien llevaba la pistola en la mano y que en realidad me había llevado hasta allí para matarme, también prefirió preguntarme:

—¿Cómo lo has sabido?

—Porque de repente creías en mi teoría. Justo cuando me había dado cuenta de que se trataba de un delirio.

Me tocaba a mí preguntar.

—¿Por qué, Ramón?

—No tienes ni idea, ¿verdad?

Asentí.

—Vaya. —Sonreía con la boca torcida—. ¿Dónde escondiste los papeles de Víctor?

—¿Qué papeles?

—¿Tampoco esto lo sabías? Tu marido tenía documentos que nos incriminaban. No los tenía en el despacho. Así que debió de llevárselos a casa y esconderlos en algún lugar. Pero Valentín no los encontró mientras tú vigilabas a ese detective de quinta.

Recordé entonces la caja de los secretos que Alicia le había regalado a Víctor, la tapa con flor y la banderita de Guayominí. Enterrada con Víctor. Se me escapó una sonrisa. Si Ramón no hubiera estado tan cegado por su triunfo hubiera notado que era más bien triste, pero él lo interpretó de otro modo.

—Irene, Irene, Irene —repitió en tono condescendiente, como un maestro paciente que tiene que aclarar algo a una alumna lerda—. ¿Crees que tendrás otra vez un golpe de suerte como con Valentín? Por cierto, la pistola que lo mató no era ésta, era la de Víctor, que encontrarán en tu mano y que habrás disparado dos veces: una para matar a Valentín y otra para liquidar a este pobre desgraciado. ¿De verdad crees que por segunda vez vendrá alguien y se cargará al malo que te apunta con la pistola?

—No, no se lo cargará —respondí.

—Pero si me lo pides, lo hago —dijo Rodrigo, y apoyó su arma contra la nuca de Ferret.

Éste bajó la pistola.

Él no podía ver los ojos de mi compañero, pero el tono de su voz era inequívoco: «Venga, pídemelo, Irene, dime que lo haga».

Cogí la pistola de Ferret.

—¿Por qué? ¿Drogas?

Estaba tan sorprendido ante este giro de la situación que la voz le salió como un graznido seco. No entendí lo que dijo.

Rodrigo apretó la pistola contra la nuca con más fuerza. Como si de pronto se acordara, Ferret dijo:

—Pero no sabíamos que llevaba a la niña en el coche. Fue un error.

El último.

Algo muy frío se apoderó de mí. Hice un gesto a Rodrigo para que se apartara. Esperé a que se hubiera alejado unos pasos de Ferret. Entonces disparé. Dos veces. Una por Víctor, otra por Alicia. Debería haberlo hecho una vez más, por mí.

Ferret cayó al suelo. De pronto la pistola me pesaba demasiado, la tiré sobre el cuerpo.

Creo que después me desmayé. O igual me dormí.

34

FINAL

Mis compañeros vienen a visitarme a la clínica con frecuencia. Marín lo hace todos los martes. Me cuenta los casos que llevan, por si se me ocurre algo. Es así desde el día en que vino a verme por primera vez.

—¿Podrías decirle algo a Alina Vlasceanu de mi parte? —le pregunté.

—Claro.

—Dile que las arañas no deben mezclarse con los gusanos. Ella lo entenderá.

—Ella tal vez sí, pero yo no.

—Dile que su novio la engaña, que es él quien les robaba las arañas valiosas.

—¿Cómo?

—Las mete en las cajitas de caramelos que siempre lleva consigo.

—¿Cómo se te ha ocurrido?

—Porque no tiró la cajita cuando Vlasceanu le dijo que no le quedaban caramelos de fresa.

Fue así de simple, e igualmente elemental era el mensaje que transportaba ese caso. Marín hubiera podido resumirlo en una máxima que podría rezar: «Sólo te puede traicionar quien está cerca».

Y así había sido.

Un día, Marín trajo un artículo de un periódico. Lo metió de contrabando porque los médicos me tienen prohibidas las noticias. Ni prensa, ni radio, ni televisión. Por eso Marín metió el recorte bien doblado en el interior de la solapa de un libro. Lo abrió cuando estábamos sentados en uno de los bancos del jardín. ¿Saben cuál? Exacto, el banco número 8, al lado de la papelera donde siguen vomitando las bulímicas. Algunas que, como yo, repiten y otras nuevas. Unas se lo cuentan a otras, si no, no se podría explicar que siempre escojan esa papelera. Estábamos, pues, sentados en el banco número 8. Marín miró con discreción a nuestro alrededor y, tras comprobar que nadie nos miraba, sacó el recorte de periódico de su escondrijo. Mi vista ha mejorado mucho, así que leí los titulares antes de que terminara de desplegarlo: «Nuevos implicados en la trama de tráfico con menores rumanos. Dos funcionarios de Menores detenidos».

Miguel está empeñado en aclarar cómo llegué a poner demasiado nerviosos a Juárez y Ferret.

—Sólo hay una cosa peor que un sistema que no funciona, uno que funciona y no sabes por qué.

Según él, Víctor descubrió que algunos de sus compañeros habían cazado en una redada a un capo rumano y que éste, a cambio de que hicieran la vista gorda, les había ofrecido hacerles partícipes de un negocio más lucrativo. Niños para pederastas. Los «nuevos» para los prostíbulos caros, los «usados» y los feos para los colchones de carretera. Que Víctor empezó a sospechar, a hacer preguntas, a volverse incómodo. Investigó solo pero un día confió a Valentín Juárez, su compañero, lo que había descubierto. Y éste le tendió una emboscada.

—Ramón Ferret lo sabía y se dejaba pagar bien por hacer la vista gorda. Han descubierto que en el asunto andaban también metidos un par de Protección de Menores. Toma. Lee esto.

—Después lo leeré. Déjalo aquí. Le pediré a Rodrigo que me lo lea.

—Pero tú ya ves otra vez, ¿no? —me había preguntado Rodrigo.

—Sí. ¿No te apetece leerme?

—Pues claro. Sólo quería saber.

Rodrigo viene los domingos, el peor día para los detectives solos y solitarios. Si hace bueno, nos sentamos en un banco y me lee algo. Ya me ha leído los tres libros del Corsario Negro.

—Rodrigo, ¿cómo acaba *El conde de Montecristo*?

—¿Por qué?

—No sé si leerlo. ¿Acaba bien o mal? ¿Es feliz después de la venganza?

—No, creo que no.

—Me lo temía. Bueno, lo leemos de todos modos.

Sarita también viene a verme. Me enseña fotos que le saca con el móvil a la plantita que me regaló y que cuida desde el mismo momento en el que me la dio.

—Para que veas cómo crece.

También me trae fotos del barrio. Entonces yo digo:

—El Poble Sec es un barrio feo. Siempre fue feo y seguirá siéndolo, por los siglos de los siglos.

Siempre nos reímos.

Hasta Flavia vino una vez. Me destrozó la mano con otro apretón brutal. No tuve tiempo de pensar si por fin le daba el puñetazo que hacía tanto tiempo que le debía porque al soltarme la mano me dijo:

—Eres legal, Irene.

Y entendí que era una disculpa.

Me contó que habían encontrado el cuerpo del abogado Sotelo en un descampado de las afueras de Montcada cosido a puñaladas. ¡Pobre! Pensaba que estaría en Guayominí, contándoles cómo perdió el ojo de cristal a las viejas dementes y a los hijos fugitivos.

Estoy bien. No se preocupen. Varias veces al día soy trombonista en el tercer movimiento de la sexta sinfonía de Tchaikovski. He visto tantas veces las películas de Bugs Bunny que recito los diálogos en voz alta, los de Bugs, claro. Los compañeros me han regalado una caja de 120 colores de Faber-Castell y Rodrigo me trae cuadernillos para colorear. Mi letra a pluma mejora cada día.

No me falta nada. Estoy bien.

ÍNDICE